NORSK LITTERATURANTOLOGI
TEKSTER, OPPTAK, KOMMENTARER
HEFTE 1

AN ANTHOLOGY OF NORWEGIAN LITERATURE
TEXTS, RECORDINGS, COMMENTARIES
PART 1

RONALD G.
POPPERWELL

TORBJØRN
STØVERUD

Norsk Litteraturantologi
Tekster, Opptak, Kommentarer

HEFTE 1

Fra Petter Dass (1647–1707) til Camilla Collett (1813–1895)

Utarbeidet under medvirkning av Aagot Karner Smidt

The Modern Humanities Research Association
London 1979

Published by

The Modern Humanities Research Association

Honorary Treasurer, MHRA

KING'S COLLEGE, STRAND

LONDON WC2R 2LS

ENGLAND

ISBN for complete set of six volumes 0 900547 59 6

ISBN for this volume 0 900547 60 x

PRINTED IN ENGLAND BY W. S. MANEY AND SON LIMITED   LEEDS

RONALD G.
POPPERWELL

TORBJØRN
STØVERUD

An Anthology of
Norwegian Literature
Texts, Recordings, Commentaries

PART 1

From Petter Dass (1647–1707) to Camilla Collett (1813–1895)

Prepared with the assistance of Aagot Karner Smidt

The Modern Humanities Research Association
London 1979

INNHOLDSFORTEGNELSE
LIST OF CONTENTS

Tekster fra første halvdel av det 19. århundre

Texts from the first half of the 19th Century

Tekster fra annen halvdel av det 19. århundre
Texts from the second half of the 19th Century

FORORD TIL DEN HEFTEDE UTGAVEN

Denne utgaven, fordelt på seks hefter, har kommet i stand som svar på et uttrykt ønske om tynnere, mer håndterlige bind enn de to ruvende bindene som utgjorde 1976-utgaven. Denne nye utgaven gjør det også mulig for leseren å anskaffe separat de deler av antologien som er av spesiell interesse for ham eller henne. De seks heftene inneholder nøyaktig det samme materialet som tobindsutgaven, og den samme rekkefølgen er beholdt, slik at pagineringen er i samsvar med den første utgaven.

PREFACE TO PAPERBACK EDITION

This edition of six paperback volumes has been prepared in response to the need for volumes which are slimmer and more easily portable than the two large volumes of the 1976 edition. The present edition also makes it possible for the reader to acquire separately those parts of the Anthology which are of especial interest to him. Together the six parts contain the same material as the 1976 edition and it is arranged in the same order, so that the pagination of that edition has been retained.

RGP, Cambridge   TS, London

INNHOLDET I DEN HEFTEDE UTGAVEN
CONTENTS OF THE PAPERBACK EDITION

HEFTE 3 (PART 3)

Tekstkommentar, fonetisk kommentar og register over forfattere, opptak og stemmer til Hefte 1 og Hefte 2 (Textual Commentary, Phonetic Commentary and Index of Authors, Recordings and Voices to Part 1 and Part 2).

HEFTE 4 (PART 4)

VED ÅRHUNDRESKIFTET, ANNEN DEL (THE TURN OF THE CENTURY, SECOND PART) Johan Bojer; Knut Hamsun; Gunnar Heiberg; Vilhelm Krag; Gabriel Scott; Nils Collett Vogt; Hans Aanrud. GENERASJONEN 1907–1939 (THE 1907–1939 GENERATION) Johan Borgen; Emil Boyson; Oskar Braaten; Olaf Bull; Sigurd Christiansen; Johan Falkberget; Nordahl Grieg; Sigurd Hoel; Helge Krog; Rudolf Nilsen; Gunnar Reiss-Andersen; Cora Sandel; Aksel Sandemose; Sigrid Undset; Hans Wiers-Jensen; Herman Wildenvey; Arnulf Øverland.

HEFTE 5 (PART 5)

DET 20. ÅRHUNDRE, NYNORSK (20TH CENTURY, NEW-NORWEGIAN) Olav Aukrust; Jan-Magnus Bruheim; Hans Børli; Olav Duun; Asbjørn Dørumsgard; Ingeborg Refling Hagen; Olav H. Hauge; Magnhild Haalke; Tor Jonsson; Inge Krokann; Aslaug Laastad Lygre; Olav Nygard; Alf Prøysen; Jakob Sande; Ingebjørg Kasin Sandsdalen; Sigmund Skard; Einar Skjæraasen; Ragnar Solberg; Marie Takvam; Kristofer Uppdal; Halldis Moren Vesaas; Tarjei Vesaas; Aslaug Vaa; Tore Ørjasæter. ETTERKRIGSGENERASJONEN (THE POST-WAR GENERATION) Finn Alnæs; Astrid Hjertenæs Andersen; André Bjerke; Jens Bjørneboe; Paal Brekke; Solveig Christov; Odd Eidem; Sigurd Evensmo; Claes Gill; Inger Hagerup; Ebba Haslund; Finn Havrevold; Gunvor Hofmo; Kåre Holt; Rolf Jacobsen; Axel Jensen; Georg Johannesen; Axel Kielland; Louis Kvalstad; Stein Mehren; Agnar Mykle; Torborg Nedreaas; Dag Solstad; Harald Sverdrup; Jan Erik Vold; Odd Winger.

HEFTE 6 (PART 6)

Tekstkommentar, fonetisk kommentar og register over forfattere, opptak og stemmer til Hefte 4 og Hefte 5. Bibliografi (Textual Commentary, Phonetic Commentary and Index of Authors, Recordings and Voices to Part 4 and Part 5. Bibliography).

FORORD

Målsettingen for denne antologien har vært preget av flere hensyn som griper inn i hverandre. Den trykte teksten tar sikte på å gi et fyldig og representativt utvalg av norsk litteratur, mens de 28 kassettene som ledsager teksten skal gi en omfattende oversikt over variasjonsbredden i talt norsk. Tekstkommentaren og den fonetiske kommentar har til oppgave å gi den som studerer norsk innsikt i noen av de særtrekk som preger norsk språk slik det trer fram i skrift og tale.

Alt dette innebar en viss begrensning når det gjaldt utvalg av stoff til antologien. En tekst kunne bare tas med når det forelå et opptak av denne i Norsk rikskringkastings arkiver. Man måtte også ta hensyn til teknisk kvalitet og kunstnerisk tolkning, så vel som til den historiske verdi opptakene representerte. Alt dette måtte så i sin tur underordnes det grunnsyn at antologien burde gi det videst mulige spektrum av talt norsk. Takket være omfanget av materiale i Norsk rikskringkastings arkiver medførte dette i praksis svært liten begrensning. Bare rent unntaksvis måtte ønskverdige tekster utelates av mangel på opptak. Det virkelige problem var tvert imot den overveldende rikdom på materiale som gjorde det endelige valg av tekster og opptak blant mange like ønskverdige muligheter til litt av en tantaluskval. Slik antologien foreligger, er den resultatet av en finsikting av omkring 600 timers opptakstid.

Et annet forhold som man måtte ta hensyn til var det faktum at mange av opptakene forelå i versjoner hvor tekstene hadde blitt beskåret eller på annen måte lagt til rette for radio. Slike opptak har bare blitt tatt med hvor man følte at bearbeidelsene hadde blitt skjønnsomt utført. I dikt er utelatelser antydet ved prikker i hakeparentes, mens vi ikke fant det praktisk gjennnomførlig å antyde beskjæringer i prosatekster og skuespill. Det syntes også rimelig å utelate de fleste sceneanvisninger fra skuespilltekster. I enkelte tilfelle hvor teksten ikke er rettet etter opptaket blir avvik behandlet i den fonetiske kommentaren. Et annet problem i forbindelse med de trykte tekstene skrev seg fra de forandringer som har funnet sted i norsk rettskrivning. Dette problemet er forsøkt løst ved å trykke noen tekster med opprinnelig ortografi og andre i normaliserte og moderniserte versjoner hvor dette syntes rimelig. Dette er nærmere behandlet i innledningen til tekstkommentaren.

*   *   *

Utarbeidelsen av denne antologien ville vært umulig uten velvillig hjelp, finansiell støtte, og samarbeid av mange slag med en rekke institusjoner både i Storbritannia og Norge. På alle måter er antologien et resultat av britisk–norsk samarbeid.

Det ville være urimelig å rette en spesiell takk til noen enkelt institusjon, siden de alle, hver på sin måte, har ydet helt vesentlige og uunnværlige bidrag. Likevel må det sies at medmindre Norsk rikskringkasting så velvillig hadde gitt oss ubegrenset adgang til opptakene i sine arkiver, ville antologien ha saknet en vesentlig forutsetning. Takket være et generøst bidrag fra det britiske Department of Education and Science til utarbeidelsen av antologien kunne vi dra fordel av de muligheter Norsk rikskringkasting stilte til vår disposisjon, og en storslått bevilgning fra Norsk kulturråd til trykking av tekstene sammen med velvillig hjelp fra The Modern Humanities Research Association har gjort det mulig å utgi antologien på ikke-kommersiell basis. Vi skylder også Anglo–Norse Society i London stor takk for en bevilgning som har gjort det mulig å trykke et noe større opplag enn vi ellers kunne maktet. Videre retter vi en takk til styret for Scandinavian Studies Fund ved Universitetet i Cambridge for en bevilgning til framstilling av kassetter. Vi står også i dyp takknemlighetsgjeld til våre egne institusjoner, Universitetet i Cambridge og University College London, for å ha stilt tekniske og administrative tjenester til vår disposisjon, og for bidrag til hjelp med korrekturlesning. Vi retter en spesiell takk til John Trim, leder av avdelingen for lingvistikk i Cambridge, for velvillig samarbeid, og til Peter Jones og David Hurworth for uvurderlig hjelp med framstillingen av kassettene.

Mange er de enkeltindivider på begge sider av Nordsjøen som på ett eller annet vis har støttet vårt arbeid og vist det spesiell interesse. Vi er dem alle stor takk skyldig. I Norge går vår takk først og fremst til fru Ingeborg Lyche i Norsk kulturråd, til forfatterinnen Ebba Haslund, og til forfatteren og kritikeren Carl Hambro. Mange er de i Norsk rikskringkasting som på forskjellig vis og med aldri sviktende elskverdighet og hjelpsomhet har stått oss bi med råd og dåd. Vi håper de alle vil kjenne seg inkludert når vi spesielt retter takken til sjefen for Historisk opptaksarkiv, Tor Kummen. I Storbritannia står vi i særlig takknemlighetsgjeld til G. E. Perren og hans stab ved The Centre for Information on Language Teaching and Research, og til R. A. Wisbey i The Modern Humanities Research Association. Vi skylder også Aagot Karner Smidt en varm takk for all hjelp, og ganske særlig for hennes store innsats mens prosjektet enda befant seg på det grunnleggende stadium. Vi er også takknemlig for den hjelp vi har mottatt fra våre norske kolleger i Storbritannia, Ivar Lunden ved Universitetet i Newcastle og Oddveig Røsegg ved Universitetet i Glasgow. Vi vil også gjerne gi uttrykk for den store takknemlighetsgjeld vi står i til Den Norske Forfatterforening som gjorde det mulig for oss å ta med tekster som fremdeles er underlagt forfatternes opphavsrett. Bare i to tilfeller måtte tekster utelates på grunn av vanskeligheter med opphavsretten.

Endelig vil vi få rette en takk til W. S. Maney and Son Limited som har stått for trykkingen, og ganske særlig til A. S. Maney og T. Fowler for godt samarbeid og for den dyktighet og tålmodighet de har møtt et omfattende og ytterst komplisert manuskript med.

RGP, CAMBRIDGE   TS, LONDON

FOREWORD

This work has a number of interlinked objectives. The printed texts aim at providing a full and representative anthology of Norwegian literature, the 28 sound cassettes which accompany them at giving a wide coverage of the varieties of spoken Norwegian, and the textual and phonetic commentaries at furnishing an aid for the student and giving him an insight into some of the special features of written and spoken Norwegian.

The nature and range of these objectives imposed certain constraints on the selection of material for the anthology. The inclusion of a text depended on a recording of it being available in the sound archives of the Norwegian Broadcasting Corporation (*Norsk rikskringkasting*). Account had to be taken of the technical quality, the artistic merit, and even historical importance of the recordings to be included, as well as of the need to provide as wide a spectrum of spoken Norwegian as possible. Fortunately, because of the richness of the material held by the Norwegian Broadcasting Corporation, these constraints proved minimal. Only in a few cases could a text not be included because a recording of it was not available. A far greater problem was the *embarras de richesse* which made the task of adjudicating between the competing claims for inclusion of equally desirable texts and recordings a tantalizing one. The present anthology is a distillation made from listening to some 600 hours of recorded material.

Another matter which required careful adjudication stemmed from the fact that in their recorded versions, many of the texts had been cut or amended in some way. In the anthology such texts have been included only when it was felt that cuts and amendments to them had been judiciously carried out. In poems cuts are indicated by dots enclosed in square brackets, but it was not found practicable to indicate amendments to prose passages and to plays; it also seemed reasonable to omit most stage directions from the printed extracts of plays. In some instances where it seemed inappropriate to amend the text, minor deviations in the recorded versions have been commented on in the phonetic commentary. A further problem relating to the printed texts derived from the orthographical changes which have occurred in the Norwegian language. This has been resolved by printing some texts in the original orthography and others, where this seemed appropriate, in normalized versions — a further discussion of this will be found in the introduction to the textual commentary.

*   *   *

The production of this anthology would not have been possible without the generous help, financial assistance and co-operation of a number of institutions, both Norwegian and British; in fact in every respect the anthology is a product of Norwegian–British co-operation.

Whilst it would be invidious to single out any one institution for especial thanks, since they have all contributed something absolutely indispensable, it would be fair to say that without the ready willingness of the Norwegian Broadcasting Corporation to allow us full access to the recorded material in their sound archives the anthology would have been deprived of an essential prerequisite. The generosity of the British Department of Education and Science in providing funds for development allowed us to take advantage of these facilities, whilst a munificent grant towards the cost of publication from the Norwegian Cultural Council and the willingness of the Modern Humanities Research Association to publish the anthology on a non-commercial basis enabled the published price to be reduced to far below normal levels. We are also grateful to the Anglo–Norse Society of London for a grant which has allowed us to print a somewhat larger edition than would otherwise have been possible and to the Managers of the Scandinavian Studies Fund of the University of Cambridge for a grant in respect of the recorded material. We are also deeply indebted to our institutions, the University of Cambridge and University College London for the use of technical and administrative facilities and for grants to provide assistance in proof-reading. We would especially thank John Trim, Director of the Department of Linguistics at Cambridge, for his willing co-operation, and Peter Jones and David Hurworth for indispensable technical assistance in the production of the sound cassettes.

Many individuals on both sides of the North Sea have in one way or another helped on our labours or have shown a special interest in them. We are deeply grateful to them all. In Norway our special thanks are due to Ingeborg Lyche (Head of the Norwegian Cultural Council), to the authoress Ebba Haslund and to the author and critic, Carl Hambro. Many members of the staff of the Norwegian Broadcasting Corporation have assisted us in different ways with never failing courtesy and helpfulness. We hope that they will all feel themselves included when we offer our especial thanks to Tor Kummen, Head of the section for historic recordings. In the United Kingdom we are especially indebted to G. E. Perren and his staff at the Centre for Information on Language Teaching and Research and to R. A. Wisbey of the Modern Humanities Research

Association. We are also grateful to Aagot Karner Smidt for her help, especially in the initial stages, and for the assistance we have received from our colleagues in Norwegian in the United Kingdom, Ivar Lunden of the University of Newcastle and Oddveig Røsegg of the University of Glasgow. In addition we wish to record our deep debt of gratitude to the Norwegian Authors Union for their co-operation in obtaining for us permission to use copyright material. Only in two cases were we unable to include an author because of copyright difficulties.

Finally we wish to thank the printers, Messrs W. S. Maney and Son, especially A. S. Maney and T. Fowler, for their unfailing co-operation, and for their skill and patience in dealing with a large and exceedingly difficult manuscript.

RGP, Cambridge   TS, London

Tekster fra før 1800
Texts from before 1800

Petter Dass

Fra NORDLANDS TROMPET

Fra [*Indledning*]

Vær hilset I Nordlands bebyggende Mænd,[1] *
Fra Værten i Huuset, til trælende Svend,[1]
   Vær hilset I Kofte-Klæd Bønder;
Ja samtlig, saavel ud til Fiære[1] som Field,
Saa vel den der bruger[1] med Fisken paa Gield,[1]
   Som salter Graa-Torsken i Tønder.
Vær hilset i Geistligheds hæderlig[2] * Lius,[1]
Prælater[1] og Orden[1] i Helligdoms Huus,
   Hver i sin Bestilling[1] hin gieve;
Tillige[1] du velbetroed' Øvrigheds Mand,[1]
Som bør bære Sverdet og Rætten i Hand,
   Fra Vold og U-noder handthæve.[1]
Hil være Leilændingen,[1] Huusmanden og,
Hver Odelsmand med den Strandsiddende Flok[1]
   Af hvad for slags Middel og Evne;
Udliggere,[1] Kremmere, hvad Navn de har,
Samt fleere, som jeg her udtydelig klar,[1][2]
   For Mangel paa Tiid ey kand nævne.
Hil være[1] det elskelig Qvindelig Kiøn,
Matroner[1] og ægtegift Hustruer skiøn,
   Madamer[1] med ugifte Piger;
Dog synderlig[1] dydig' Gemytter[1] i sær,
Min Hilsen jeg samtlig tilbyder en hver,
   Og redebon[1] Tienest' tilsiger.
        [. . .]

Nordlands Beliggende

Naar Kaasen[1] hensættes[1] i beneste Noer,[1]
Da snarlig[1] opdages Arctandria[1] stoer,
   Med sine Skyebrydende[1] Tinder
Et Landskab afdeelt udi Provstier[1] fem,
Foruden Findmarcken, som bag efter dem,
   Opfyldes med Lapper og Finder.

---

* For tall[1] se tekstkommentaren; for tall[2] se den fonetiske kommentar.
  For figure[1] see textual commentary; for figure[2] see phonetic commentary.

Først møder dig Helgelands Aader[1] og Lehn,[1]
Et Støkke for Norden[1] lit videre hen
    Oprinder dig Salten i Sigte;
Saa Vesteraal, Lofod, og Sennien dernest,
Og efter dem alle staar Tromsen til Ræst,[1]
    Om dennem[1] min Musa du digte;
Hvad Veyen anlanger[1] vor Landstreg[1] og Ort,[1]
Vel hundrede Miler de strecker sig bort,
    I Længden et temmelig Støcke;[1]
Ved otte Dags Reyse for drivende Bøør,[1]
Mens om saa skeer[1] nogen det knappere[1] giør,
    Hand nyder særdeeles god Lycke.
Thi Normanden skiøtter ey[1] Alen og Favn,[1]
Hand maaler sin' Miile med Kiøl og med Stavn
    Fra Field indtil andet at seyle;
Er derfor een Miil ey at fare saa snart,
Skiønt Baaden end gaar for en drivende Fart,
    Før Frost er i Fingre og Neigle,[1]
Findmarcken maa midlertid[1] u-omtalt staa,
Hvorledes dets Fiorder er stor eller smaa,
    Det komme skal siden herefter;
Mens tegnes vor Amtes Beskaffenhed[1] sand,[1]
Da viid, at det gandske Nordledingens Land[1]
    Med Sverrig sig grendtzer og hæfter.[1]
Ey spredet det ligger om her eller der,
Mens eene Lehns Ende begyndelsen er
    Til andet, som nermeste følger,
At eet efter andet,[1] som beneste Snor,[1]
Sig strecker alt længer og længer i Noer,
    Omskylles af fraadende Bølger.[1]
For Vesten[1] opbryder os Havet paa Land,
Med Floder og Elver af løbende Vand,
    For Østen er Sverriges Rige,
Hvor Kiølen[1] imellem beliggendes er,
Hvis yderste Tunge mod Rysland henskier,[1]
    Og deeler os Grentzerne lige.
Det Kiølen et Field, hvoraf vide gaar Savn,[1]
Af Kiøl under Jægte det haver sit Navn,
    Detz Grentzer udstrecker sig vide;
I Længden de Miler vel Ti gange Ti,
Gaar Trønderne, Lappen og Cappen[1] forbi,
    Heel hen om[1] Nordledingens Side.

O Kiøllen, hvad est[1] du dog lang i din Ryg,
Hvad est du for Norge et Merckeskiel[1] tryg,
 Du ræt mellem Cronerne[1] skifter;[1]
Hvad hver skal tilhøre det deeler du af
Saa rigtig at ingen med Passer og Stav[1]
 Det nermere rammer og stifter.[1]
Her giøres ey Skiel eller Skrifter behov,[1]
Ey Vidnesbyrd, Gammelmands Merker og Prov.[1]
 Thi ingen, foruden han gandske
Har Sands og Fornuften og Øyene mist,
Ioe seer[1] og fornemmer, at Kiølen er vist
 Et Skiel mellem Svensken og Danske.[1]
Vil nogen opsøge vort Island herfra,
Sin Kaas i Nordvest hand[1] hensette skal da,
 Saa skal hand til Landet vel ile;
Men alle de Lande sig strecker i Væst,
Er Skotland og Irland, som ligger os næst,
 Dog over mod hundrede Mile.
Men naar du lidt Østerlig vender din Stavn,
Har du til at vente Troldbotternes Havn[1]
 Archangel og Ryssernes[1] Lande;
Vendt[1] siden din Snække, sæt Stavnen i Noer,
Saa hitter du paa der Grønlænderne boer,
 Dend u-bekandt Hedenske Grande.[1]

Fra *Svemmende Dyr i det Nordlandske Hav*

[. . .]

Nu maa jeg mig snoe[1] til den Nordlandske Torsk,
Som Fiskerne kalde mon Skrejen paa Norsk,
 Hand nevnes maa Normandens Krone;
Hand kroner vor Gielde,[1] hand kroner vor Skiaa,[1]
O sæl er du Bonde som Torsken kan faa,
 Hand føder baad' dig[2] og din Kone.
Du Torsk maa vel kaldes vor Næring og Brug,[1]
Du skaffer fra Bergen saa mangen Tønd' Rug,
 Den stackels Nordfare[1] til Føde;
Barmhiertige Fader, oplade din Haand,[1][2]
Velsigne os fattige Folk her i Land
 Med dine Velsignelser søde.

Skull' Torsken os feile, hvad havde vi da,
Hvad skulle vi føre til Bergen herfra,
 Da seilet vist Jegterne[1] tomme;
Hvad haver vi andet, her bygger og boer,
End søge vor Føde med Angel og Snoer,[1]
 Og pløje de Bølger hin grumme.[1]
Og skulle du HErre forkorte din Haand[1]
At stænge Skrej-Torsken og Fisken fra Land,
 Da lagdes vi hastelig[1] øde;
Vi har ey at lide paa[1] Most[1] eller Viin,
Her findes ey heller Sølv-Biergene fiin,
 Os mangler[1] Guldgruven den røde.
Vort Land er ey heller et Canaan sød,
Hvor Marcken med Melk og med Honning omfløed,[1]
 Her findes ey Druer at plucke;
Ney, Fisken i Vandet, det er vores Brød,
Og miste vi hannem,[1] da lide vi Nød,
 Og jammerlig nødes at sucke.
Folk maa det fortælle[1] med grædende Taar,
Hvorledes mand disse forledendes Aar[1]
 Har giort sine Omkostninger store;
Vi baget Mad-kisterne[1] strax efter Juul,
Vi fyldet dem gandske med Brød og med Suul,[1]
 Og skaffet dem alle fin' Fore.[1]
Vi lavet vor Drenger Tre Maaneders Kost,
Et Bismerpund[1] Smør og et Bismerpund Ost
 Og Fladbrød toe vigtige Voger;[1]
Saa Suppemeel, Kiød, og saa Stombrød[1] et Pund,[1]
Saa Jernsten,[1] Skindstak[1] med Støvler saa rund
 Saa Diupsang[1] med Angler og Kroger.
Men dermed end icke fornøyes de vil,
En Anker[1] med Syre[1] vi skaffet dem til
 Og lod deres Madkister stappe!
Ja, at jeg skal kortelig melde derom,
Vi skaffet dem indtil Staburet[1] blev tom,
 Selv aade vi Maaltider knappe.
Foruden alt dette de Skyldmænder[1] kom,
Med krumpende[1] Tarme, med indsvunden Vom,[1]
 Og deres Udreedning[1] de kræver;
De larmet og giorde saa megen U-skiel,[1]
Skaf os vor Udreedning, vi svelter ihiel,
 Thi Tiderne giøres os snæver.[1]

[. . .]

Nu velan,[1] hvad giør du min digtende Pen,
See til at du slaar ey af Tankerne hen
      De Flynder[1] og Qveiter[1] hin fede;
Du veedst jo vel det er den deyligste Fisk,
Med hvilken vor HErre begaver vor Disk,[1]
      Og Dugen for os monne[1] brede.
Mand skiær hendes Ryg udi Reklinger[1] brav,[1]
Af Finnerne skiæres den drybende Rav,[1]
      Saa fæd saasom Smør til at smage;
En Spise som vel er Berømmelse værd,
Kand bæres paa Fadet for Lægmand og Lærd,
      Det skal dennem noksom[1] behage.
Du smuckeste Qveite, du Dronning i Vand,
Hvor flad er din Boelig paa dybeste Sand,
      Hvorpaa du fremskrider saa sagte;
Du farer spagfærdig[1] paa Grunden omkring,
Og hviler, naar andre de kiører i Ring,
      Det kand vore Fisker' vel agte[1].
Hvor findes din Lige blant svæmmende Kræ,[1]
Din Ryg er som Ravnen, og Bugen som Snee,
      Ja hvider' end Skiællen[1] paa Sanden;
Og ville mand salte din eeneste Krop,[1]
Du fylder een packede Tønde romt[1] op,
      En Tønde, ja stundum halvanden.
Men ingen blant alt det der røres[1] i Hav,
Er riger' paa Lever, Hvor Tran giøres af,[1]
      End vores Haa-kiering[1] hin gamle;
Hvis Lever, naar hun er fuldvoxen og heel,
Mand rundelig deraf een Hollandsk Cordeel[1]
      Med klareste Fedme[1] kand samle.
Den best pleyer fanges paa synderlig Form,[1]
Hun render til Krogen som Rytter til Storm,
      Det er med Forundring at høre;
Saa snart hun fornemmer,[1] den Angel er fast,
Omtuller hun strax sig den snedige Gast,[1]
      Derover optaves[1] det Snøre.
Det skeer og med saadan en hastendes Iil,[1]
At Huden paa hende som raspende Fiil[2]
      Skær Snøret, før man det kand anse;[1]
Men hvilken der tæncker den Sejer at faa,

En Favn Jern Læncker hand laver sig paa,[1]
    Saa lær hand[1] den Kiering at dantze.
Hun kaldes en Kiæring, og det er vel vist,
Dog haver hun ingen af Tænderne mist,
    Som Kiæringer plejer at blive;[1]
Kast i hendes Kiæfter en dobbelte Kal[1]—
Kast tyckeste Kabel,[1] hun bide den skal,
    Som den var afskaaren med Knive.
Mand skiær hendes Kiød udi Reklinge-Rad,
Dog bliver det ingen velsmagende Mad,
    Førend den kand Aars-gammel vorde.[1]
Men kommer en stormende Blæst eller Slud,[1]
At Fiskeren[1] kand icke holde det ud,
    Da kaster hand Kroppen for Borde.[1]
Du spralende[1] Sej, see jeg nær havde glemt,
Din hoppende springen[1] og lystige Skiæmt[1]
    Udi mine Skrifter at teigne;[1]
Hvor smuk er din Dantz alt om Midsommers Tid,
Naar Solen den skinner og Vejret er blid,
    Et Menniskes Hierte maa qveigne.[1]
Hvor tit har jeg fundet dig sprungen herom,
At Havet[1] stod gandske i fraadende Skum,
    Alt om den Tare-fuld[1] Skalle;[1]
Naar du haver Legen paa høyeste fat,
Du veedst[1] ey før Garnet der under er sat,
    Saa endes din Glædskab med alle.[1]
End du min Fru Hysse,[1] blant alle bekandt,
Det sidste[1] jeg dig ind i Fiordene fandt,
    Da havde du Flecken ved Øre;
Vor Fiormænder kiender din' Klacke[1] saa vel,
Du lockes formedelst[1] den rømadet[1] Skiæl,
    De paa deres Angler monn' føre.
Men hvad du fortærer, saa est du dog tør,
Det tarver dit Kiød[1] et u-maadelig Smør,[1]
    Saa fremt[2] du skal ellers behage;
Færsk kand mand dig æde, men aldrig er hørt,
At tørrede Hysser til Marked er ført,
    Du saltes og aldrig[1] med Lage.[1]
Du Lange, som drages[1] saa langt fra den Vall,[1]
Jeg dig iblant Fiskers navnkundige Tall[1]
    Med gylden Bogstaver afmaler;
Hvo dig vil forskiude,[1] hand er icke viis,

Du nyder hos Fremmed alleene den Priis,
    At Vogen[1] den gielder en Daler.[1]
Din Krop ey saa lidet i Vægten forslaar,[1]
En sex eller otte paa Vaagen kun gaar,
    Slig Diur er vel værd til at fange;
Dig sankes[1] i Ryggen det levrede Blod,[1]
At naar det er kaaget,[1] det smager vel god,
    Det kaldes Longstuven[1] hin lange.
Om Søe-Ormen ved jeg ey nogen Beskeed,
Jeg haver ham aldrig med Øyene seed,
    Begiærer ey heller den Ære;
Dog kiender jeg mange, som mig haver sagt,
Hvis Ord jeg og giver sandfærdelig Magt,[1]
    Hand maa ret forfærdelig være.
Naar Julius[1] gaar i sin Førstelig[1] Stads,
Og Phebus[1] omvanker[1] i Luftens Pallatz
    Da lader det Diur sig fornemme;
Der siges hand er af en saadan Natur,
Hvad Baad hand fornemmer det skadelig Diur,
    Hand ilendes efter mon svemme.[1]
U-maadelig sluttes hans Storlighed[1] ok,
Det vel af Forfarenhed[1] vises kand nok,
    Thi de hannem kommer i møde,
Forteller, hand ligger i Længden udstrakt,
Som hundrede Læs[1] var paa Havet udlagt,
    Som Møding[1] paa Ageren øde.
Mig tyckes hand lignes maa Behemots Magt,
Samt og Leviathan,[1] som holder foragt[1]
    Ald Vaaben og bevende Spidse;
Thi Jernet er hannem som Stilker og Hør,[1]
Og Kaaber[1] som Qvisten der raadner og døer,
    Det Gud os beskriver[1] til visse.[1]
End denne forfærdelig Søe-Orm maa staa
Som Frende med hannem[1] i Ligning og gaa,
    Min Musa du videre fremage,[1]
At teigne den Rest af alt svemmende slag,
Som mangler[1] i Skrifter at komme for Dag,
    Og lad dig det icke mishage!
Du springende Lax, jeg erindrer vel dig,[2]
I strømmende Elve du legges i Lig,[1]
    Hvor grummeste Fosser de bruser;
Hvor blinker din Skiorte som Sølvet i Søm,[1]

Hvad tvinger dig til at frem-ile mod Strøm,
    Og fængsles i Maskbunden[1] Ruse.[1]
Men ingen dig passer saa snedelig[1] paa
Om Nætternes Skygge,[1] som Bonden hin graa
    Med liusende Næver[1] og Lyster:[1]
Hand veed meget vel om din' Passer[1] og Gang,
Thi kommer hand med den treforkede Stang,[1]
    Og Piken[1] igiennem dig kryster.[1]
Du Steenbid,[1] hvi griner saa ilde din Flab,[1]
Hvi est[1] du saa skubbet,[1] og fuld udaf Skab,[1]
    Siig, est du befængt med Frantzoser;[1]
Du bedre dog bliver i Rønnen end Siun,[1]
Er Sagte saa god som indstoppet Caldun[1]
    I Tarmers indviklede Poser.
Men sig mig, hvad haver du snedige Siil,[1]
Om Høsten at giøre i Sanden med Iil;[1]
    Hvad haver du der at bestille;
Maa skee at du derfore gyder[1] i Sand,
At Rognen skal icke bortskylles af Vand
    Og Sæden forgiæves forspilde.
Dog kommer du herlig vor Bønder til pas,[1]
De veed at opgrave din skiulte Pallats,
    Og kaster dig udi sin Bøtte;
Saa sættes du paa deres Angler til Avn,[1]
De fylder sin' Baader fra Skaatten[1] til Stavn,[1]
    Sig selver[1] til ypperlig Nytte.[2]
Bort Lodde[1] med ald din forgiftige Stank,
Ald Verden forønsker dig Alskens Skavank,[1]
    Du est os et Riis og en Svøbe;[1]
Ret saasom een Hore der tager at fly,[1]
Saa rømmer med hende Ungdommen af By,
    Som Bucke med Giedderne løbe.[1]
Saa har ogsaa Lodden ræt Hoerens Natur,
Der flyer med hende hver levende Diur,
    Sig vender i Havet og røres;
Hvorhen hun sig rører, der flyer de med,
At alle Mand jamrer og sucker der ved,
    Hvor Loddens Tilkommelse[1] spøres.
Propheterne truer med fire slags Ting,
For Synden[1] at sendes i Verden omkring,
    Til Landsens almindelig Plager;
Det er Pestilentz,[1] Dyrtiid, Hunger og Svær,[1]

Men Lodden maa reignes det femte Gevær,
    Med hvilket os Himmelen slager.[1]
Af Brossmer[1] og fanges et temmelig Tall,[1]
Den lige med[1] Roodskier[1] i Kiøb eller Sall[1]
    Paa fremmede Stæder afhendes:[1]
Rogn-Kiæxen[1] og Sprut[1] vil jeg løbe forbi,
Og Haabrand[1] er heller af ingen Værdi,
    Og hermed min Fiskefang[1] endes.

Claus Frimann

DEN NORSKE FISKER

Ondt ofte lider den Fiskermand,
Som ud maae fare, før Hanen galer,
Al Dagen pladske i kolde Vand,
Paa Hiem ei tænke, før Solen daler,
I vaade Trøie,
Sneedriv i Øie —
O, sad I der, I guldklædte Høie!
I andet fandt.

Dog, snar gaaer Dagen, og alting let,
Naar Drotten ramler,[1] og Lod ei standser,
Og Kniv ei hviler paa Madding-Brædt,[1]
Og Fisken op efter Snoren dandser;
Da spares Arme
At bankes varme,
Madkisten glemme de tomme Tarme,
Som skrege før.

Saa mangt nu tænker den Fisker paa,
Mangt med sig selv nu han monne snakke:[1]
I Aar skal Jorddrot mig lade staae,[1]
I Aar ei kastes jeg ned for Bakke,
Det har ei Fare,
Nu faaer jeg Vahre,
I Aar skal Fogden min Gryde spare[1]
For Skat og Told.

God Hustrue hjemme seer ud igien;
Det qvælder tilig, og kold er Stuen,
I Krogen setter hun Rokken hen,
I Asken rager, giør Ild paa Gruen;
Tung op fra Stranden
Ind stamper Manden,
Tre vaade Trøier, en efter anden,[1]
Han slænger hen.

EN BIRKEBEINERSANG[1]

Melken sød at drikke,
Sirupskrukken slikke,
 var ei Nordmands Vis;
drikke Elv og kolde Vande,
drikke Drik, som varmed' Pande,
 det var Nordmands Vis.

Sukkerklump at smælte,
Mandeldeig at ælte,[1]
 var ei Nordmands Vis;
Faare-Ribber, Bukke-Rygge,
speget Okse-Laar[2] at tygge,
 det var Nordmands Vis.

Svøbe sig i Silke,
Kniplings-Traad at pilke,[1]
 var ei Nordmands Vis;
Bast[1] til Baand at sammentvinde,
Birkebark om Ben at binde,
 det var Nordmands Vis.

Under Dun at varme
hvide bløde Arme,
 var ei Nordmands Vis;
bruge Sten til Hovedpude,[2]
naar han var i Marken ude,
 det var Nordmands Vis.

Pigers Sko at kysse,
Pattebarn[1] at bysse,[1]
 var ei Nordmands Vis;
Med en halv afhuggen Hage
sin Venindes Kys at tage
 det var Nordmands Vis.

Ja og Haand at give,[1]
og ei tro at blive,
 var ei Nordmands Vis;
Hjerte frem med Haand at bære,
Ven og Konge tro at være,
 det var Nordmands Vis.

Ludvig Holberg

Fra EPISTLER

Fra *Epistola 29*

Jeg taler aldrig med Bønder, uden jeg jo lærer[2] noget af dem: Thi de raisonnere ikke uden[2] om[1] solide og magtpaaliggende[1] Ting, hvorom de vide fuldkommen Beskeed. Man kand af dem lære, hvorledes Jorden skal dyrkes, Hæste og Qvæg[1] conserveres,[1] Skovene[1] settes i Stand, Gaarder bygges, og en skikkelig Oeconomie[1] føres. Derforuden[2] profiterer jeg af deres Omgiængelse[1] udi Sproget: Thi jeg lærer af dem gode gamle Danske Ord, som udi Kiøbstæderne[1] ere forglemte, og hvorudi end lærde Folk[1] ere ukyndige,[2] saasom[1] de ere komne af Brug, og ikke findes uden i vore gamle Lov-Bøger. Derforuden er Bøndernes Tale naturlig og uden Affectation eller u-rimelige Complimenter. Naar en Bonde hilser mig, ønsker han GUds Fred, og naar han gaaer bort, siger han, far vel! En Kiøbstæd-Mand[2] derimod kalder mig for og bag sin Herre, og sig skyldigste Tiener,[1] skiønt han ved alle Leyligheder bevidner, at han er mig aldeeles ingen Tieneste skyldig. Spørger[2] jeg Bonden om Nyt, fortæller han ikke uden det, som han veed, og indskrænker sig udi sin egen[2] Landsbyes Historie, saa at, om jeg hører ikkun[1] lidet, saa faaer jeg dog noget tilforladeligt[1] at vide. Spørger jeg Kiøbstæd-Manden om Nyt, giver han mig et Udtog[1] af de sidste Aviser, som jeg selv forhen[1] haver læset,[1] [2] ja omstændeligen[1] fortæller mig Ting, hvorom han selv ikke veed ringeste Beskeed, og som mig er[2] aldeeles ikke magtpaaliggende at vide.

Fra JEPPE PAA BIERGET

Actus II

Scen. *I*

JEPPE

Forestilles liggende udi Baronens Seng med en Gyldenstykkes Slaaprok for Stolen; han vaagner og gnikker sine Øine, seer sig om og blir forskrækket, gnikker sine Øine igien, tar paa sit Hoved og faaer en guldbroderet Nathue i Haanden; han smør Spyt paa sine Øine og gnikker dem igien, vender nok Huen om og beskuer den, seer paa sin fine Skiorte, paa Slaaprokken, paa

Alting, har underlige Grimacer. Imidlertid spilles en sagte Musik, hvorved Jeppe lægger Hænderne sammen og græder; naar Musiken har Ende, begynder han at tale.

JEPPE   Ei, hvad er dog dette? Hvad er dette for en Herlighed, og hvordan er jeg kommen dertil? Drømmer jeg, eller er jeg vaagen? Nei jeg er ganske vaagen. Hvor er min Kone, hvor er mine Børn, hvor er mit Huus, og hvor er Jeppe? Alting er jo forandret, jeg selv med. Nei, hvad er dog dette? hvad er dog dette? Nille! Nille! jeg troer, jeg er kommen i Himmerig, og det ganske uforskyldt. Men mon det er jeg? Mig synes Ja, mig synes ogsaa Nei. Naar jeg føler paa min Ryg, som endnu er øm af de Hug,[1] den har faaet, naar jeg hører mig tale, naar jeg føler paa min hule Tand, synes mig, det er jeg. Naar jeg derimod seer paa min Hue,[1] min Skiorte,[2] paa al den Herlighed, som er mig for Øinene, og jeg hører den liflige Musik,[2] saa Drolen splide mig ad,[1] om jeg kan faae i mit Hoved, at det er jeg. Nei det er ikke jeg; jeg vil tusinde Gange være en Carnalie[1] [2] om det er. Men mon jeg ikke drømmer? Jeg vil forsøge at knibe mig i Armen; giør det da ikke ondt, saa drømmer jeg, giør det ondt, saa drømmer jeg ikke. Jo, jeg følede det, jeg er vaagen; vist er jeg vaagen, det kan jo Ingen disputere mig; thi var jeg ikke vaagen, saa kunde jeg jo ikke ... Men hvorledes kan jeg dog være vaagen, naar jeg ret eftertænker Alting? Det kan jo ikke slaae feil,[2] at jeg jo er Jeppe paa Bierget; jeg veed jo, at jeg er en fattig Bonde, en Træl, en Slyngel, en Hanrei, en sulten Luus, en Madike,[1] en Carnalie; hvorledes kan jeg tilligemed være Keiser og Herre paa et Slot? Nei det er dog ikkun en Drøm.[2] Det er derfor bedst, at jeg har Taalmodighed, indtil jeg vaagner op. Ach kan man dog[2] høre Saadant i Søvne? det er jo ikke muligt. Men er det en Drøm, saa gid jeg aldrig maatte vaagne op igien, og er jeg gal, saa giv jeg aldrig maatte blive klog igien; thi jeg vilde stævne den Doctor, der curerede[1] mig, og forbande den, der vækkede mig. Men jeg hverken drømmer, eller er gal; thi jeg kan komme Alting ihu;[1] som mig er vederfaret;[1] jeg erindrer jo, at min salig Far var Niels paa Bierget, min Far-Far Jeppe paa Bierget, min Hustru hedder jo Nille, hendes Crabask[1] Mester Erich, mine tre Sønner Jens, Niels og Christoffer.[2] Men see, nu har jeg fundet ud hvad det er: det er et andet Liv,[2] det er Paradiis, det er Himmerig; jeg maaskee[1] drak mig ihiel i Gaar hos Jacob Skomager, døde, og kom strax i Himmerig. Døden maa dog ikke være saa haard at gaae paa, som man bilder sig ind; thi jeg følede Intet dertil. Nu staaer

maaske Hr. Jesper denne Stund paa Prædikestolen og giør
Ligprædiken[2] over mig og siger: Saadant Endeligt[1] fik Jeppe[2] paa
Bierget; han levede som en Soldat og døde[2] som en Soldat. Man
kan disputere, om jeg døde til Lands eller til Vands; thi jeg gik[2]
temmelig fugtig af denne Verden. Ach Jeppe! det er Andet end at
gaae fire Miil til Byen for at kiøbe Sæbe,[2] at ligge paa Straae, at faae
Hug af din Hustru og Horn[1] af Degnen.[1] Ach til hvilken Lyk-
salighed er ikke din Møie og dine sure Dage forvandlet! Ach jeg
maa græde af Glæde, besynderlig[1] naar jeg betænker,[1] at dette
er hændet mig[2] saa uforskyldt.[1] Men een Ting staaer mig for
Hovedet,[2] det er, at jeg er saa tørstig, at mine Læber hænge
sammen; skulde jeg ønske mig levende igien, var det alene for at
faae et Kruus Øl at lædske mig paa, thi hvad nytter mig al den
Herlighed for Øinene og Ørene, naar jeg skal døe paa ny igien af
Tørst? Jeg erindrer, Præsten har ofte sagt, at man hverken hungrer
eller tørster i Himmerig, iligemaade[1] at man der træffer alle sine
afdøde Venner. Men jeg er færdig at vansmægte af Tørst, jeg er
ogsaa ganske alene, jeg seer jo intet Menneske; jeg maatte jo i
det Ringeste finde min Bedstefar, som var slig skikkelig Mand, der
ikke efterlod sig en Skillings Restantz[1] [2] hos Herskabet.[1] Jeg veed jo,
at mange Folk har levet ligesaa skikkelig som jeg, hvorfor skulde
jeg alene komme i Himmerig? Det kan derfore ikke være Him-
merig. Men hvad kan det da være? Jeg sover ikke, jeg vaager
ikke,[2] jeg er ikke død, jeg lever ikke, jeg er ikke gal, jeg er ikke klog,
jeg er Jeppe paa Bierget, jeg er ikke Jeppe paa Bierget, jeg er
fattig, jeg er rig, jeg er en stakkels Bonde,[2] jeg er Keiser. A . . .
a . . . a . . . hielp hielp![2]

Edvard Storm

SKOGMØTE HASS TORJER SKJEILLE

Stusle[1] Søndags[2] Kvellen eingaang for mæg va,[1]
leit va dæ[1] heime læva;[2]
Tytingen va gjor,[1] [2] aat Skogan[1] [2] strauk æg sta,[1]
Næverskrukka[1] [2] tok ti Næva.[1]
Knaft[1] æg kommin va ti Ulvhusdalen[2] traang,[1]
før æg bydja[1] [2] høira naago[1] [2] der som saang;
   Maale[1] tyktes me,
   dæ æg kjendtes ve,
akt paa detta laut[1] æg gjeva.

Best[1] æg gjønnom[2] Kjørrom[1] titta fram aa saag,
mindst vontas henna raakaa:[1]
Saa va dæ ho Kari, som ti Grase laag,
kvat[1] um sin kjære Kjaakaa.[1]
Førkja[1] trudde ho va eismal[2] aa ti Fre,[1]
utur Kjæften[1] rain[1] [2] kva Hjerte sa ho te;[1]
   Dæ æg høirte her
   taa[1] mi Jænte kjær
bære mæg hell Tyting smaakaa.[1]

Gjønnom Dalen rain ei litol Fenne[1] fort,
Fjeill[1] sto paa kvar si Sie;[1]
Fyrun[1] va taa Gras aa[1] gule Blome gjort,
Hægg aa Older[2] dækte Lie.
Høgre up va vukse Furu, Bjørk aa Graan,[1]
Graane gaamul[1] va, ha baae Skjægg aa Maan,[1]
   Vigga[1] ogo faar[1]
   ti støtvurug[1] Vaar
nødde[2] stigan Skog aa bie.[1]

Framve Elve sto ein gaamail[2] Søljukail,[1]
ti Skuggin kvilte Jænta.
Jutul[1] planta 'aam[1] for kvar,[1] som der vart ail,[1]
mest for han ho Kari venta.
Han ti hennas Saang[2] fekk Ret for slik ei Gjæl,[1] [2]
Keim[1] som høire ho, æ støtt aa rae sæl;[1]

Nær ho kvædja vil,
Fuglein sjøl ti still.
Strie Foss sitt Laupan lenta.[1]

Intje[1] [2] nok, mi Kari! tenkte æg ve mæg,
Jæntun[1] ditt Maal misunne;
sjølve Jutul faafængt hærma ette dæg,
ønskje han dæg likne kunne.
Meire va dæ,[1] Fisken[2] fjølg[1] ti Vatne sto,
Kjønu[2] øvst ti Brone[1] lysta[1] høira ho:
    Gjekk dæ mæ døm saa,[1]
    Kan full[1] gjetas[1] paa,
Kva æg haa taa Saangen[2] funne.

Uta for sæg sjøl mitt Sinn i Laagaa[2] brain,[1] [2]
knaft æg mitt Øire trudde;
Bloe[1] snøggar hell dæ plæga[1] ti mæg rain,
okjendt Glæe ti mæg budde.
Kroppen bebra,[1] [2] Hjerta[2] pikka[1] Slag i Slag,
ælder[1] [2] ha dæ livt[1] hell venta slik ein Dag.
    Intje sjøl æg veit,
    kaales[1] Kjærleheit
up aa ne paa Vete[1] snudde.

Vakkre Dal! saa kvat ho, vakrar var du visst,
hø du[1] 'an Torjer Skjeille!
Nei, mi Kari! skreik æg, naa syng du imist,[1]
sjøl du prye[1] dessa Fjeille.
Maasaalændt[1] aa røisaat[1] vakkert æ mæ de;[1]
ti din Arm[1] æ Himil onde[1] kvart eit Tre;
    Kari! nær som du[1]
    Intje fins[2] saa tru,
Dal æ stygg[2] for mæg aa æille.[1]

Førkja reint hainfælla,[1] [2] reint forondra[1] va,
kor skulle ho mæg vente?
Knaft ho kunne blaase,[1] for ho vart for gla,
da ho mæg paa Maale[1] kjendte.
Fystonde[1] ho tok mæg full'[1] for einkvart Troil,[1] [2]
for ein Nøkk, ein Jutul, som her ha Tehoil;[1] [2]
    sia truga[1] ho
    mæg som lægjand[1] sto:
Fule Gut. æg dæg skal mænte.[1]

Æ dæ viar[1] spørjan,[1] kaales dæ gjekk te?
Kaa[1] skul' æg eina[1] gjæra?
Onde saamaa Søljun[1] sløngde[1] æg mæg ne,
tætt ve Jænta laut dæ væra.
Rium te oss kjystas,[1] [2] rium te oss log,[1]
takom fekk oss full' aat einkvart[2] anna Hog;[1]
    kjæm dæ ofte paa[1]
    dæ oss raakaas saa,[1]
kan æg slike Daagaa[1] bæra?

Johan Herman Wessel

Fra COMISKE FORTÆLLINGER

Smeden og Bageren

Der var[2] en liden Bye, i Byen var en Smed,[2]
Som farlig var, naar han blev vred.
Han sig en Fiende fik; (dem kan man altid faae,
Jeg ingen har, det gaae
Min Læser[1] ligesaa!)
Til Uhæld for dem begge to
De træffes i en Kroe.[1]
De drak (jeg selv i Kroe vil drikke;
For andet kommer jeg der ikke.
Anmærk dog, Læser! dette:
Jeg immer[1] gaaer paa de honette.)[1]
Som sagt, de drak,
Og efter mange Skieldsord, hidsigt Snak,
Slaaer Smeden Fienden paa Planeten.[1]
Saa stærkt var dette Slag,
At han saae ikke Dag,
Og har ei siden seet'en.[1]
Strax i Arrest blev Smeden sat.
En Feldskiær[1] faaer den Døde fat,
Og om en voldsom Død Attest hensender.
Den Mordere[1] forhøres og bekiender.
Hans Haab var, at han skulde hisset gaae,[1]
Og der Forladelse af sin Modstander faae.
Men hør nu Løier![1] netop Dagen,
Før Dom skal gaae i Sagen,
Fremtriner fire Borgere
For Dommeren: den mest veltalende
Ham saa tiltalede:

'Velviseste![1]
Vi veed, paa Byens Vel De altid see;
Men Byens Vel beroer derpaa,
At vi vor Smed igien maae faae.
Hans Død opvækker jo dog ei den Døde?

Vi aldrig faaer igien saa duelig en Mand.
For hans Forbrydelse vi alt for grusomt bøde,
Om han ei hielpes kan.' —
'Betænk dog, kiere Ven! der Liv for Liv maae bødes.'
'Her boer en arm[1] udlevet Bager,
Som Pokker snart desuden tager.
Vi har jo to, om man den ældste tog af dem?
Saa blev jo Liv for Liv betalt.' —
'Ja,' sagde Dommeren, 'det Indfald var ei galt.
Jeg Sagen at opsette nødes;
Thi i saa vigtig Fald[2] man maae sig vel betænke,
Gid vores Smed jeg Livet kunde skienke!
Farvel godt Folk! jeg giør alt, hvad jeg kan.' —
'Farvel velvise Mand!' —

Han bladrer[1] i sin Lov omhyggelig;
Men finder intet der for sig,
Hvorved forbuden er, for Smed at rette[1] Bager;
Han sin Beslutning tager,
Og saa afsiger denne Dom:
(Hvem, som vil høre den, han kom!)
'Vel er Grovsmeden Jens
For al Undskyldning læns,[1]
Og her for Retten selv bekiendte,
Han Anders Pedersen til Evigheden sendte;
Men da i vores Bye en Smed vi ikkun[1] have,
Jeg maatte være rent af Lave,[1]
Ifald jeg vilde see ham død.
Men her er to, som bager Brød.'
   'Thi kiender jeg for Ret:[1]
Den ældste Bager skal undgielde det,[2]
Og for det skedte Mord med Liv for Liv bør bøde,
Til velfortiente Straf for sig
Og ligesindede til Afskye og til Skræk.'
   Den Bager græd Guds jammerlig,
Da man ham førte væk.

MORAL

Beredt til Døden altid vær!
Den kommer, naar du mindst den tænker nær.

Herremanden

En Herremand[1] sov engang hen;
Og saa skal alle Herremænd,
   Hvor gierne de end leve ville.
      Og det er ilde,
   At døe, naar man endnu ei vilde.

Den Herremand, jeg synger om,
Did, Stakkel![2] efter Døden kom,
   Hvor ingen frøs, skiønt alle vilde.
      Og det er ilde,
   At ikke fryse, naar man vilde.

Han traf sin Kudsk, og studsede:[1]
'Hvad! Jochum og i Helvede?
   Jeg næsten det forsværge[1] vilde.'
      Og det er ilde,
   At see, hvad man forsværge vilde.

'Hvorfor jeg kommen er herned,
Du udentvivl alt forud veed,
   Saa jeg omsonst[1] det dølge[1] vilde.'
      Og det er ilde,
   Bekiendte Ting at dølge ville.

'Min Søn forfaldt til Hoer og Spil,
Og satte flere Penge til,
   End min Formue taale vilde.'
      Og det var ilde,
   At den ei mere taale vilde.

'Af Godhed for det Skumpelskud[1]
Jeg sued'[1] mine Bønder ud,
   Og deres Suk ei høre vilde.'
      Og det er ilde,
   Ei Bønders Suk at høre ville.

'Men du, som var saa from og god,
Og giorde intet Kræe[1] imod,
   Hvi[1] du er her, jeg vide vilde.'
      Og det er ilde,
   Saa nøie alt at vide ville.

'Det gaaer,' var Svaret, 'mig saa slet,
Fordi jeg hisset giorde det,
  Som I ei kunde, skiønt I vilde.'
    Og det er ilde,
  At ikke kunne, naar man vilde.

'Den Søn, som volder, I er her,
Har jeg paa Halsen skaffet jer.[1]
  Jeg Fruen intet negte vilde.'
    Og det er ilde,
  Slet ingen Ting at negte ville.

Sligt lærer hvert utugtigt[1] Skarn,[1]
At ikke skaffe Næsten Barn.
  Skiønt Næstens Kone gierne vilde.
    Og det er ilde,
  At Næstens Kone gierne vilde.

Fra KIERLIGHED UDEN STRØMPER

PERSONERNE

JOHAN VON EHRENPREIS, Skredder-Svend
GRETE, Johans Forlovede
METTE, Gretes Fortroelige
MADS, Gretes ulykkelige Elskere
JESPER, Madses Fortroelige

Andet Optog

FØRSTE OPTRIN

Mads, Jesper

MADS Hvor hopper ei min Siæl! Hvor skynder sig mit Blod,
At raabe: Fryder jer! til hvert et Ledemod.[1]

JESPER Du taler som du var, min Ven! lidt Hoved-Svimmel.

MADS Faer fra et Helvede med et op i en Himmel,
Og vi vil faae at see, om du det bedre giør.
Saa lykkelig en Hest som jeg var aldrig før.

Kom kys mig² søde Broer! Lad os en Sang istemme,
Hvoraf den hele Jord min Glæde kan fornemme.
For evig evig Tiid er Mads nu lykkelig!
Min Jesper! hielp mig at udstøde Fryde-Skrig,
Hør! af min Fryds-Basun faer ud en Glædes Torden
Langt ned til dem som boe, — der boer jo under Jorden
En Hoben¹ smukke Folk. Den hele Jordens Kreds
Skal vide jeg er glad, før er jeg ei tilfreds.

Aria

Underjordiske som sover,
Du maa ikke undres over,
*   At min Sang dig vækker op*
*   Til at giøre Glædes Hop.*
Mads i Dag har vundet Seier,
Mads i dag sin Grete eier,
*   Ja med Hud og Haar og Krop.*
*   Under Jorden giør et Hop!*

JESPER   Har du nu skreget ud din Glædes Raserie?

MADS   En Zephyr blæser nu, og Stormen er forbie,
Det var en Fryds Orkan, som foer udaf sit Fængsel,
Og havde Fængslets Dør nær løftet av dens Hængsel;
Saa voldsom var dens Fart. En Siæl er dobbelt glad,
Jo længere den før i Sorgens Fængsel sad.

Aria

Min Glæde er som Bekken:
*   Den Bek, som sagte flød,*
*   Før den en Dæmning bød,*
Ei røre sig af Flekken;
*   Da Demningen kom bort,*
*   Flød Bekken dobbelt fort.*
Min Glæde er som Bekken.

JESPER   Jeg Grete komme seer, hun vist den Slutning drager,
At du af Lunkenhed dig gode Stunder tager,
Ifald hun faaer at see dit end ukiemte Haar;¹
Det bliver derfor best, at du afsides gaaer.
(*De gaaer.*)

ANDET OPTRIN

Grete, Mette

METTE   Saa var mit Haab omsonst,[1] du syntes at samtykke
I dette Ægteskab, jeg holdt det for min Lykke,
At ved mit ringe Raad[1] jeg kunde fremme din,
Og skrekkes[1] nu, du slaaer det hen i Veir og Vind.[1]

GRETE   Jeg dig forbunden[1] er, som vil min Smerte lindre,
Og ærer dine Raad, men ikke destomindre
Mit Hierte siger mig, at tusind Plagers Hær
Med Længsel venter paa, at see min Brudefær.[1]
Før var jeg angestfuld,[1] men tusind gange meere,
Saasnart jeg tænker paa, at Mads min Mand skal være,
Jeg veed ei selv, hvorfor.

METTE   Man vel hos visse Folk
Paa visse Tider bør ansee som Sandheds Tolk
En rigtig Ahnelse,[1] men du dig kan bedrage,
Og for en Ahnelse maaskee den Afskye tage,
Som føles af enhver ved slige Bryllupper,
Hvor man skal ægte een, og har en anden kiær.[2]
Din Ahnelse maaskee af sidste Slags kan være,
Hvem veed?

GRETE   Du er for kort til mig at kunde lære
At kiende Ahnelser;[1] hvis min ei ægte er,
Saa maae du frit[1] – – –

METTE   Men hør! hvem mon der banker der?
Jeg gaaer at lukke op.

TREDIE OPTRIN

GRETE *(Allene.)*   Hvem mon der vel kan banke?
Maaskee – – dog nei – – det var for smiggrende en Tanke,
Og den troeløse Skurk vist havde kommet før,
Hvis ei; – – Men Himmel! Jord! det er Johan – – Jeg døer.

FJERDE OPTRIN

Johan, Grete

JOHAN   Hvor seer jeg glad igien de mange Yndigheder,
Som den maae være blind, der kan ei see hos eder.

GRETE   Jeg dig fornærmet har min allerbeste Ven!
Jeg tænkte, du var Skielm.[1]

JOHAN   Saa tænk nu om igien.

GRETE   Mit eget Hiærte sig nu færdig er at hade,
Som dig mistænkte saa.

JOHAN   Jeg kan dig let forlade[1]
En Tvivl saa rimelig for dig at falde paa,
Du er undskyldelig, og jeg er ligesaa.[2]
Du de Forhindringer behager at anhøre,[1] [2]
Som vare Aarsag i[2] – – –

GRETE   Dig at retfærdiggiøre
Er kun til Overflod, dit Forsvar ligger her,
(*Peger paa Hiertet.*)
Med Ild-Bogstaver trykt. Det kort forfattet er:
Johan, som elsker mig, kan ei strafværdig[1] være.

JOHAN   Hvor taler du ei smukt, jeg vilde paa min Ære,
Nu Touren er til mig,[1] og sige smukke Ting;
Men Kierligheden har med tætte Atter-Sting[1]
Saa syed mit Hierte ind, at om jeg skulde henge,
Dets ømme Følelser sig dog ei kunde trænge
Op til min Mund, Madam!

GRETE   Jeg tvivler ikke paa,
Du mig jo elsker høit, naar du mig elsker saa.

JOHAN   Mig Timer synes Aar, og Øieblik som Dage,
Indtil jeg bliver din og du min Ægte-Mage.

GRETE   Nei see den lille Skalk,[1] hvor han giør høie Sving,
Og det er dig, som ei kan sige smukke Ting.

JOHAN   Nærværelsen af den, hvis Øine vi tilbede,
Det ømme Hierte tidt kan komme til at svede;[1]
Og denne Sveed, Madam! som er snart ingen Ting,
Din Godhed falder paa[2] at kalde høie Sving.
Du alt for gunstig[1] er.

GRETE   Med Ret maaskee du venter
Den Roes, du nægter dig, at faae igien med Renter,
Fortryd dog ikke paa,[1] der bliver intet af
For den gang, men du er endnu ei i din Grav;
Nei bie kun,[1] til vi først er bleven Mand og Kone,
Saa kan du lide paa,[1] jeg skal til gavns forsone[1]
Den Forurettelse, jeg nu blier skyldig i.

JOHAN   Jeg var tilfreds, Madam! vort Bryllup[2] var forbi.

GRETE   I Dag, i denne Dag, jeg dig min Haand[2] vil give.

JOHAN   Er det alvorlig talt?

GRETE   Din Længsel vist skal blive
Opfyldt før Aftenen. I Dag er Grete din,
Og din for evig Tiid. Jeg strax vil løbe ind
At klæde mig, gaae hen, og giør nu du det samme:
Du studser, bliver bleeg.

JOHAN   Gid mig alt Ont[2] maae ramme!
Hvis der er nogen Ting, mit Hierte ønsker meer
End det, at blive din; men jeg mig tvungen seer
En Dags Opsettelse[1] mig ikkun at udbede;
En umild Skiebnes Dom[2] – – –

GRETE   Med eet din Elskovs Hede
Nu kiølnet har? Utroe! saa tænkte jeg dog ret.

JOHAN   Mit Hierte sidder der, du maa udrive det,
Hvis det ei brænder heel – –

GRETE   Troeløse! ja det brænder
Af en uteerlig[1] Ild, som Ærens Love skiænder[1],
Som al sin Næring har fra Dyds og Ærens Tab,
Og slukkes ud, saasnart man nævner Ægteskab.
Og saadan Kierlighed du tør din Grete byde?
Forræder! jeg forstaaer hvad det har at betyde,
Naar først Opsettelser en Elsker foreslaaer.

JOHAN   Jeg staaer det ikke ud[1], det over Skrævet gaaer![1]
Jeg aabenbare maa, hvorfore[2] jeg mig krymper,[1] [2]
Du nøder mig,[1] viid da – – –

GRETE   Hvad? snart!

JOHAN   At mine Strømper –

GRETE   Og de?

JOHAN   De er' ei til.[1]

GRETE   Nu fik jeg Hierte-Stød.
Det alt for gruesomt er, det bliver vist min Død.
Forvovne![1] som saa frek tør uden Strømper tale
Om Bryllup, veed du vel, jeg det ei vil forhale;
Men skal du blive min, jeg sværger, at du maae
Som Brudgom da i Dag, om uden Strømper staae.

Femte Optrin

JOHAN (*Allene*)
Skal jeg som Brudgom staae i Dag foruden Strømper?
Hvo giver beste Raad til en uhældig Stømper,[1][2]
Som Æren byder et, et andet Elskovs Gud?
Hvis du i Støvler staaer, saa leer dig Folket ud,
Det Ærens Stemme er. Du miste skal din Brud
Ved en Opsettelse, saaledes Elskov truer.
Mit Hierte for et Valg paa begge Sider gruer.

Aria

Som en uheldig Skipper,
Der forud seer, hand strande maa
Paa een af tvende Klipper,
Ei nogen vis[1] at strande paa
Tør vælge sig,
Saa gaaer det mig.

Tekster fra første halvdel av det 19. århundre
Texts from the first half of the 19th Century

Peter Christen Asbjørnsen

EN GAMMELDAGS JULEAFTEN

Vinden pep i de gamle lønner og linder likeoverfor mine vinduer, sneen føk ned igjennom gaten, og himmelen var så mørkladen[1] som en desemberhimmel kan være her i Kristiania. Mitt humør var like så mørkt. Det var juleaften, den første jeg ikke skulle tilbringe ved den hjemlige arne.[1] For noen tid siden var jeg blitt offiser, og hadde håbet å glede mine gamle foreldre ved mitt nærvær, hadde håbet å vise meg for hjembygdens damer i glans og herlighet. Men en nervefeber brakte meg på hospitalet, hvorfra jeg først var kommet ut for en uke siden, og jeg befant meg nu i den så meget prisede[1] rekonvalesent-tilstand.[1] Jeg hadde skrevet hjem efter Storborken[2] og min fars finnmut,[1] men brevet kunne neppe nå frem til dalen før annen juledag, og først under nyttår[1] kunne hesten ventes hertil. Mine kamerater var reist fra byen, og jeg hadde ikke en familie jeg kunne hygge meg ved. De to gamle jomfruer som jeg losjerte hos, var visstnok godslige[1] og snille mennesker, og de hadde med megen omhu tatt seg av meg i begynnelsen av min sykdom.[2] Men disse damers hele måte å være på var alt for meget av den gamle verden til riktig å kunne falle i ungdommens smak. Deres tanker dvelte helst ved fortiden, og når de, som ofte kunne hende, fortalte meg historier om byen og dens forhold, minnet det, såvel ved sitt innhold som ved den naive oppfatningsmåte, om en svunnen tid. Med dette mine damers gammeldagse vesen sto også det hus som de bebodde i god overensstemmelse. Det var en av disse gamle gårder i Tollbodgaten, med dype vinduer, lange skumle ganger og trapper, mørke rom og lofter, hvor man uvilkårlig måtte tenke på nisser[1] og spøkeri. Hertil kom at deres bekjentskapskrets var meget innskrenket; ti foruten en gift søster kom der aldri andre enn et par kjedelige madammer.[1] Det eneste opplivende var en smukk søsterdatter og noen muntre, livlige brorbarn, som jeg alltid måtte fortelle eventyr og nissehistorier.

Jeg søkte å adsprede meg i min ensomhet og min mismodige stemning ved å se på alle de mange mennesker som ferdedes opp og ned ad gaten i snefokk[1] og vind, med rødblå neser og halvlukkede øyne. Det begynte å more meg å iaktta det liv og den travelhet som hersket over i apoteket: døren sto ikke et øyeblikk, tjenestefolk og bønder strømmet inn og ut, og ga seg til[2] å studere signaturene når de kom ut på gaten igjen. Tydningen syntes å lykkes[2] for noen, men undertiden tilkjennega langvarig grunnen og en betenkelig rysten på hodet at oppgaven var for svær. Det skumret; jeg kunne ikke skjelne ansiktene lenger, men stirret over på den gamle bygning. Således som apoteket da var, sto det med sine mørke rødbrune vegger, spisse gavler, og tårn med værhaner og blyvinduer, som et minne av bygningskunsten i fjerde Kristians tider.[1] Kun svanen[1] var da som nu meget adstadig,[1] med gullring om halsen, ridestøvler på føttene, og vingene utspent til flukt. Jeg var just i ferd med å fordype meg i betraktninger over fengslede fugler, da jeg ble avbrutt av[2] støy og barnelatter i sideværelset og en svak, jomfrunalsk[1] banking på døren.[2]

På mitt 'Kom inn' tren den eldste av mine vertinner, jomfru Mette,[1] inn med et gammeldags kniks,[1] spurte til mitt befinnende,[1] og ba meg under mange omsvøp[1] å ta til takke hos dem[1] om aftenen. 'De har ikke godt av å sitte så alene her i mørket, snille hr. løytnant,' tilføyde hun, 'vil De ikke komme inn til oss med det samme? Gamle mor Skau og min brors småpiker er kommet; de vil måskje adsprede Dem litt.[1] De holder jo så meget av de glade barn.'

Jeg fulgte den vennlige innbydelse. Da jeg trådte inn, spredte et bål der blusset[1] i en stor firkantet kasse av en kakkelovn,[1] gjennom den vidåpne ovnsdør et rødt ustadig lys ut i værelset som var meget dypt, og møblert i gammel stil, med høyryggete russlærsstoler[1] og en av disse kanapéer[1] beregnet på fiskebensskjørter[1] og storksnabelstilling[1]. Veggene var prydet med oljemalerier, portretter av stive damer med pudrede koafyrer,[1] av Oldenborgere[1] og andre berømmelige personer i panser og plate[1] eller røde kjoler.[1]

'De må sannelig unnskylde, hr. løytnant, at vi ikke har tent lys ennu,' sa jomfru Cecilie, den yngre søster, som i dagliglivet alminnelig kaltes Sillemor, og kom meg i møte med et kniks, make til søsterens; 'men barna tumler seg så gjerne ved ilden[1] i skumringen, og mor Skau hygger seg også ved en liten passiar i ovnskroken.'

'Passiar meg hit, og passiar meg dit, du koser deg selv ved en faddersladder[1] i skreddertimen,[1] Sillemor, og så skal vi ha skylden,' svarte den gamle, trangbrystede dame[1] som titulertes[1] mor Skau. 'Nei se, god aften, far![1] Kom og sett Dem her og fortell meg hvordan det er med Dem; De er min santen[1] blitt dyktig avpillet,'[1] sa hun til meg og kneiset[1] over sin egen svampete trivelighet.[1]

Jeg måtte berette om[2] min sykdom, og døyet[1] til gjengjeld en meget inngående beretning om hennes gikt og astmatiske plager; den ble til all lykke avbrutt ved barnas larmende ankomst fra kjøkkenet, hvor de hadde avlagt et besøk hos det gamle husinventar[1] Stine.

'Faster,[1] vet du hva Stine[2] sier, du?' ropte en liten vever[1] brunøyd tingest. 'Hun sier[2] at jeg skal være med på høyloftet i aften og gi nissen julegrøt.[2] Men jeg vil ikke, jeg er redd for nissen!'

'Å, det Stine sier er bare for å bli kvitt dere; hun tør ikke gå på høyloftet i mørke selv, den tossa,[1] [2] for hun vet nok at hun en gang er blitt skremt av nissen,' sa jomfru Mette. 'Men vil dere ikke hilse på[2] løytnanten da, barn?'

'Å, er det deg, løytnant, jeg kjente deg ikke; så blek du er![2] det er så lenge siden jeg så deg,' ropte barna[2] i munnen på hverandre og flokket seg om meg. 'Nå må du fortelle oss noe morsomt, det er så lenge siden du fortalte! Å fortell om Smørbukk,[2] snille deg, fortell om Smørbukk og Gulltann!'[1] Og jeg måtte fortelle om Smørbukk og hunden Gulltann og enda gi til beste[1] et par nissehistorier om Vaker-nissen[2] og Bure-nissen[1] som dro høy fra hverandre, og møttes med hver sin høybør på nakken, og sloss så de ble borte i en høysky. Jeg måtte fortelle om nissen på Hesselberg, som tirret[1] gårdshunden til mannen kastet ham ut over låvebroen.[1] Barna klappet i hendene og lo. 'Det var til pass for'n[1] det, stygge nissen,' sa de, og fordret mere.

'Nei, nu plager dere[2] løytnanten for meget, barn,' sa jomfru Cecilie; 'nu forteller nok faster Mette en historie.'

'Ja, fortell, faster Mette!' var det almindelige rop.

'Jeg vet ikke hva jeg skal fortelle,' svarte faster Mette; 'men siden vi er kommet til å tale om[2] nissen, så skal jeg også fortelle litt om ham.[2] Dere husker vel[2] gamle Kari Gausdal, barn, som var her og bakte flatbrød[2] og lefse,[1] og som alltid hadde så mange eventyr og historier å fortelle?' — 'Å ja!' ropte barna. — 'Nu, gamle Kari fortalte hun tjente på Vaisenhuset[1] her for mange år siden. Den gang var det enda mere ensomt og trist enn det nu er, på den kant av byen, og det er en mørk skummel[1] bygning, det Vaisenhuset. Nu, da Kari var kommet dit, skulle hun være kokke, hun var en meget flink og fiks pike. En natt skulle hun stå opp og brygge;[1] så sa de andre tjenerne til henne: 'Du må akte deg at du ikke står for tidlig opp; før klokken to må du ikke legge på ròsten.'[1]

'Hvorfor det?' spurte hun.

'Du vet da vel det at det er en nisse her, og du kan vel vite at han ikke vil uroes så tidlig, og før klokken to må du slett ikke ha på ròsten,' sa de.

'Pytt, ikke verre,' sa Kari, hun var meget frisk på leveren,[1] som de sier, 'jeg har ikke noe å skaffe med[1] nissen, og kommer han til meg, så skal jeg, den og den ta meg,[1] nok føyse 'n på døren.'[1]

De andre formante henne,[1] men hun ble ved sitt,[1] og da klokken vel kunne være litt over ett, sto hun opp og la under bryggekjelen og hadde på ròsten. Men hvert øyeblikk sloktes ilden under kjelen, det var liksom én kastet brannene[1] ut over skorstenen,[1] men hvem det var, kunne hun ikke se. Hun tok og samlet brannene den ene gang efter den andre, men det gikk ikke bedre, og ròsten ville heller ikke gå.[1] Og til sist ble hun kjed av dette, og tok en brann og løp med både høyt og lavt, og svingte den og ropte:

'Pakk deg dit du kommer fra! Tror du du[2] kan skremme meg, tar du feil.'

'Tvi vøre deg da!'[1] svarte det fra en av de mørkeste kroker; 'jeg har fått sju sjeler her i gården og jeg tenkte jeg skulle ha fått den åttende med.'

Og siden den tid var det ingen som så eller hørte noe til nissen på Vaisenhuset, sa Kari Gausdal.' —

'Huff, jeg blir redd, jeg' sa en av de små, 'nei du skal fortelle løytnant; når du forteller, blir jeg aldri redd, for du forteller så morsomt.' En annen foreslo at jeg skulle fortelle om nissen som danset halling[1] med jenten. Det var noe jeg meget nødig innlot meg på,[1] da det hørte sang til. Men de ville på ingen måte la meg slippe, og jeg begynte allerede å rømme meg[1] for å forberede min overmåte uharmoniske stemme til å synge hallingdansen som hørte til, da den omtalte smukke søsterdatter til barnas glede og min frelse trådte inn.

'Ja nu, barn, nu skal jeg fortelle, hvis dere kan få[2] kusine[1] Lise til å synge hallingen for dere,'[2] sa jeg idet hun tok plass; 'og så danser dere selv,[2] ikke sant?' Kusinen ble bestormet av de små, lovte å utføre dansemusikken, og jeg begynte min fortelling.

'Det var ensteds, jeg tror nesten det var i Hallingdal, en jente som skulle gå med fløtegrøt[1] til nissen; om det var en torsdagskveld eller en julekveld, det kan jeg ikke huske, men jeg tror visst det var en julekveld. Nu syntes hun det var synd å gi nissen den gode maten, og spiste så selv fløtegrøten, og drakk fettet[1] på kjøpet,[1] og gikk på låven med havremelsgrøt og sur melk i et grisetrau.[1] 'Der har du trauet ditt, styggen!' sa hun. Men hun hadde ikke sagt det, før nissen kom farende, tok henne og begynte en dans med henne; det holdt han på med til hun lå og gispet,[1] og da der kom folk på låven om morgenen, var hun mere død enn levende. Men så lenge som han danset, sang han' — og her overtok jomfru Lise nissens parti og sang i hallingtakt:

'Å du har iti opp[1] grauten for Tomten[1] du,
å du skal få danse med Tomten du!'

'Å har du iti opp grauten for Tomten du,
så skal du få danse med Tomten du!'

Under dette hjalp jeg til ved å trampe takten med begge føtter, mens barna støyende og jublende tumlet seg mellom hverandre på gulvet.

'Jeg tror dere setter[2] stuen på taket[1] med det samme, barn. Dere støyer,[2] så det verker i mitt hode,' sa gamle mor Skau. 'Vær nu rolige, så skal jeg fortelle noen historier.'

Det ble stille i stuen, og madammen tok til orde.

'Folk de forteller[2] nå så meget om nisser og hulder[1] og slikt, men jeg tror ikke stort av det. Jeg har hverken sett den ene eller den andre — jeg har nå ikke vært så vidt i mitt liv heller — , og jeg tror det er snakk; men gamle Stine ute,[1] hun sier at hun har sett nissen. Da jeg gikk til presten,[1] tjente hun hos mine foreldre, og til dem kom hun fra en gammel skipper, som hadde holdt opp å fare.[1] Der var det så stille[2] og rolig. Det kom aldri noen, og ikke kom de til noen, og skipperen var aldri lengre enn nede på bryggen. Alltid gikk de tidlig til sengs, og det var en nisse der, sa de. 'Men så var det en gang,' sa Stine, 'som kokken[1] og jeg, vi satt oppe en aften i pikekammeret og skulle stelle og sy for oss selv, og det led til sengetid, for vekteren[1] hadde alt ropt ti. Det ville ikke gå med syingen og stoppingen, for hvert øyeblikk kom Jon Blund;[1] og rett som det var, så nikket[1] jeg, og rett som det var, så nikket hun, for vi hadde vært tidlig oppe og vasket om morgenen. Men som vi satt således,[2] så hørte vi et forferdelig rabalder[2] ute i kjøkkenet, det var liksom én slo alle tallerkenene[2] sammen og kastet dem på gulvet. Vi fór opp i forskrekkelse', sa hun, 'og jeg skrek: 'Gud trøste og hjelpe oss, det er nissen!' og jeg var så redd at jeg torde ikke sette en fot i kjøkkenet. Kokken var nok fælen,[1] [2] hun også; men hun skjøt hjertet opp i livet,[1] og da hun kom ut i kjøkkenet, lå alle tallerkenene på gulvet, men ikke én av dem var itu,[1] og nissen han sto i døren med rød lue på og lo så inderlig godt. Men nu hadde hun hørt at nissen[2] iblant skulle la seg narre til å flytte, når en ba ham[2] om det og sa at det var roligere for ham[2] på et annet sted, og så hadde hun lenge spekulert[2] på å gjøre ham et puss,[1] sa hun, og så sa hun til ham[2] det — hun skalv litt i målet[2] — at han skulle flytte[2] over til kobberslagerens tvers over gaten; der var det mere stille og rolig, for der gikk de til sengs klokken ni hver aften. 'Det var sant nok også,' sa hun til meg; 'men du vet nok,' sa hun, 'at mesteren arbeidet og var oppe med alle, både svenner[1] og drenger,[1] og hamret og støyet fra klokken tre om morgenen hele dagen.[2] Siden den dag,' sa hun, 'så så vi ikke mere til nissen over hos skipperen. Men hos kobberslageren likte han seg[2] godt, enda de hamret og banket hele dagen, for folk sa at konen der satte grøt på loftet til ham[2] hver torsdagsaften, og da kan en ikke undres over at de ble rike heller, for nissen gikk vel og dro til dem,'[1] sa Stine, og det er sant, de tok seg opp og ble rike folk; men om det var nissen som hjalp[2] dem, det skal jeg ikke kunne si,' tilføyde[2] mor Skau og hostet og rømmet seg efter anstrengelsen med denne for henne usedvanlig lange fortelling.

Da hun hadde tatt seg en pris tobakk,[1] kviknet hun, og begynte på en frisk:

'Min mor, det var en sanndru[1] kone; hun fortalte en historie[2] som har hendt her i byen, og det på en juledags natt, og den vet jeg er sann, for det kom[2] aldri et usant ord i hennes munn.'

'Ja la oss få høre den, madam Skau,' sa jeg. 'Ja fortell, fortell, mor Skau!' ropte barna.

Madammen hostet litt, tok seg atter en pris, og begynte: 'Da min mor ennu var pike, kom hun undertiden[2] til en enke som hun kjente, som og hette — ja hva var det hun hette da? Madam — nei, jeg kan ikke[2] komme på det, men — ja det kan være det samme også, men hun bodde oppe i Møllergaten og var en kone over sin beste alder. Så var det en juleaften,[2] liksom nu; så tenkte hun ved seg selv at hun skulle gå i fropreken[1] om julemorgen,[2] for hun var flittig[2] til å gå i kirken, og så satte hun ut kaffe, for at hun skulle få seg litt varmt å drikke, så hun ikke skulle være[2] fastendes.[1] Da hun våknet, skinte månen inn på gulvet, men da hun sto opp og skulle se på klokken, så hadde den stanset og viserne sto på halv tolv. Hun visste ikke hva tid det var på natten, men så gikk hun hen til vinduet og så over til kirken. Det lyste ut gjennom alle kirkevinduene. Hun vekket piken og lot henne koke kaffe, mens hun kledde på seg, og så tok hun[2] salmeboken og gikk i kirken. Det var så stille på gaten, hun så ikke et menneske på veien. Da hun kom i kirken, satte hun seg i stolen[2] hvor hun pleide å sitte; men da hun så seg om, syntes hun folkene så så bleke og underlige ut, akkurat som de kunne være døde alle sammen. Der var ingen hun kjente, men det var mange hun syntes hun skulle ha sett før, men hun kunne ikke minnes hvor hun hadde sett dem. Da presten kom på prekestolen, så var det ikke noen av byens prester, men en høy, blek mann. Hun syntes hun skulle kjenne'n og. Han preket nok så vakkert, og det var ikke sånn støy og hosting og harking som det pleier å være ved fropreken om julemorgenen — det var så stille at hun kunne høre en nål falle på gulvet, ja det var så stille at hun ble ganske angst og bange.[1] Da de begynte[2] å synge igjen, bøyde en kone som satt ved siden av henne, seg hen til henne og hvisket henne i øret: 'Kast kåpen løst om deg og gå; for bier du[1] til det er forbi her, så gjør de ende på[2] deg. Det er de døde som holder gudstjeneste.'

'Huff, jeg blir redd, jeg blir redd, mor Skau,' sutret[1] en av de små, og krøp opp på en stol.

'Hysj, hysj, barn, hun slipper godt fra det; nu skal du bare høre,' sa mor Skau. 'Men enken ble også redd, for da hun hørte stemmen og så på konen, kjente hun henne; det var nabokonen hennes, som var død for mange år siden, og da hun nu så seg om i kirken, husket hun godt at hun hadde sett både presten og mange av menigheten, og de var døde for lange tider siden.[2] Det isnet i henne, så redd ble hun. Hun kastet kåpen løst om seg, som konen hadde sagt, og gikk sin vei; men da syntes hun de vendte seg og grep efter henne alle sammen, og benene skalv under henne, så hun nær hadde segnet[1] ned på kirkegulvet. Da hun kom ut på kirketrappen, kjente hun de tok henne i kåpen; hun slapp taket og lot dem beholde den, og hun skyndte seg hjem så fort hun kunne. Da hun var ved stuedøren sin, slo klokken ett, og da hun kom inn, var hun nesten halvdød, så angst var hun. Om morgenen da folk kom til kirken, lå kåpen på trappen, men den var revet i tusen stykker.[2] Min mor, hun hadde sett den mange ganger før, og jeg tror hun hadde sett et stykke av kåpen også; men det er nå det samme, det var en kort lyserød stoffes kåpe[1] med hareskinns fôr[1] og kanter, sånn som de brukte i min barndom enda. Nu er det rart å se en sånn en, men det er noen gamle koner her i byen og på stiftelsen[1] i Gamlebyen som jeg ser i kirken med sånne kåper i julehelgen.'

Barna, som under den siste del av fortellingen hadde ytret megen frykt og engstelse, erklærte at de ikke ville høre flere slike fæle historier. De hadde krøpet opp i kanapéen og på stolene, og sa at de syntes det satt noen og tok efter dem under bordet. I det samme kom det lys inn i gamle armstaker, og man oppdaget med latter at de satt med benene på bordet. Lysene og julekaken,[1] syltetøyet, bakkelset[1] og vin forjaget snart spøkelseshistorier og frykt, opplivet gemyttene[1] og førte samtalen over på de levende og på dagens emner. Endelig ga risengrøten og ribbenssteken[1] tankene en retning mot det solide, og man skiltes tidlig fra hverandre, med ønsker om en gledelig jul.

Men jeg hadde en meget urolig natt. Jeg vet ikke om det var fortellingene, den nydede kost, min svakhetstilstand, eller alt dette tilsammen, som voldte det; jeg lå og kastet meg hit og dit, og var midt inne i nisse- og huldre- og spøkelseshistorier den hele natt.

Til sist fôr jeg til kirken med dumbjeller[1] gjennom luften. Kirken var opplyst, og da jeg kom inn, var det kirken hjemme i dalen. Det var ikke andre å se der enn døler[1] med røde luer, soldater i full puss, og bondejenter med skaut[1] og røde kinner. Presten sto på prekestolen; det var min bestefar, som var død da jeg var liten gutt. Men som han var best inne i[1] sin preken, gjorde han et rundkast[1] — han var bekjent som en rask fyr — midt ned i kirken, så at samarien[1] fór på én kant og kraven på en annen. 'Der ligger presten, og her er jeg,' sa han med et bekjent uttrykk av ham, 'og la oss nu få en springdans.'[1]

Øyeblikkelig tumlet hele menigheten seg i den villeste dans, og en stor, lang døl kom hen og tok meg i skulderen og sa: 'Du lyt væra med,[2] kar!'[1]

Jeg visste ikke hva jeg skulle tro, da jeg i det samme våknet og følte taket i min skulder, og så den samme jeg hadde sett i drømme, lute seg over meg i min seng med døleluen[1] nedover ørene, en finnmut på armen, og et par store øyne stivt heftet på meg.[1]

'Du drømmer visst, kar,' sa han; 'svetten står på pannen din, du sover jo tyngre enn en bjønn i hi.[1] Guds fred og gledelig jul![2] sier jeg fra far din og dem i dalen.[2] Her er brev fra skriveren[1] og finnmut til deg, og Storborken[1] står i gården.'

'Men i Guds navn, er det deg, Tor?' Det var min fars husbondskar,[1] en prektig døl. 'Hvorledes i all verden er du kommet hit nu?' ropte jeg glad.

'Jo, det skal jeg si deg,' svarte Tor; 'jeg kom med Borken, men ellers så var jeg med skriveren ute i Nes, og så sa han: Tor, sa han, nå er det ikke langt til byen, nå får du ta Borken og reise inn og se til løtnan,[1] [2] og er han rask og han kan væra med, så skal du ta han med, sa han.'

Da vi fór fra byen, var det klart igjen, og vi hadde det prektigste føre.[1] Borken langet ut med sine gamle raske ben, og en sådan jul som jeg turet[1] den gang, har jeg aldri turet hverken før eller siden.

Peter Christen Asbjørnsen og Jørgen Moe

DE TOLV VILLENDER

Det var engang en dronning som var ute og kjørte; det var om vinteren, og det hadde nettopp falt nysne. Da hun hadde kommet et stykke på veien, tok hun til å blø neseblod og måtte ut av sleden. Mens hun sto oppmed gjerdet og så på det røde blodet og den hvite sneen, kom hun til å tenke på at hun hadde tolv sønner og ingen datter, og så sa hun ved seg selv: 'Hadde jeg en datter så hvit som sne og så rød som blod, så kunne det gjerne være det samme med sønnene mine.' Det var nesten ikke sagt, før det kom en trollkjerring til henne. 'En datter skal du få,' sa hun, 'og hun skal være så hvit som sne og så rød som blod, og så skal sønnene dine være mine; men du kan ha dem hos deg til barnet er døpt.'

Da tiden kom, fikk dronningen en datter, og hun var så hvit som sne og så rød som blod, slik som trollkjerringa hadde lovt, og derfor kalte de henne også for Snehvit og Rosenrød. Det ble stor glede i kongsgården, og dronningen var så glad at det ikke var noen måte på det; men da hun kom i hug[1] det hun hadde lovt trollkjerringa, lot hun en sølvsmed gjøre tolv sølvskjeer, én til hver prins, og så lot hun ham gjøre enda én til, og den ga hun Snehvit og Rosenrød.

Best prinsessen var døpt,[1] ble prinsene omskapt til tolv villender og fløy sin vei, og de så ikke mere til dem; de var borte og de ble borte. Prinsessen vokste opp, og hun ble både stor og vakker, men hun var ofte så underlig og sørgmodig, og det var ikke noen som kunne skjønne hva det var som feilte henne.

Men så var det en kveld dronninga også var så sørgmodig, for hun hadde vel mange underlige tanker, når hun tenkte på sønnene sine; og så sa hun til Snehvit og Rosenrød: 'Hvorfor er du så sørgmodig, barnet mitt? Er det noe som feiler deg, så si fra! Er det noe du vil ha, skal du få det.'

'Å, jeg synes det er så ødslig,'[1] sa Snehvit og Rosenrød; 'alle andre har søsken, men jeg har ingen; jeg er så alene, det er det jeg sørger for.'

'Du har også hatt søsken, barnet mitt,' sa dronninga; 'jeg har hatt tolv sønner, som var brødrene dine, men alle dem ga jeg bort[2] for å få deg,' sa hun, og så fortalte hun hvordan alt var gått til.

Da prinsessen hørte det, hadde hun ikke ro på seg; alt det dronninga gråt og bar seg, så hjalp det ikke, hun ville avsted, og hun syntes hun var skyld i alt sammen; og til sist så gikk hun da også fra kongsgården. Hun gikk og hun gikk, så langt ut i den vide verden at du skulle ikke tro at en så fin jomfru hadde orket å gå så langt.

Engang hadde hun gått i lang tid i en stor, stor skog. Så var det en dag hun var blitt trett og satte seg ned på en tue, og der sovnet hun. Da drømte hun at hun gikk lenger inn i skogen til en liten tømret stue, og der var brødrene hennes. Med det samme våknet hun, og rett fremfor seg så hun en oppgått sti i den grønne mosen, og den stien gikk dypere inn i skogen. Den fulgte hun, og langt om lenge kom hun også til slikt et lite tømmerhus² som hun hadde drømt om.

Da hun kom inn i stua, var det ingen der inne; men der sto tolv senger, tolv stoler, tolv skjeer, og tolv ting av alt som fantes. Da hun fikk se det, ble hun så glad² at hun ikke hadde vært så glad på mange år; for hun kunne straks skjønne at brødrene bodde der, og at det var dem² som eide sengene og stolene og skjeene. Hun til å legge på varmen¹ og sope og re sengene¹ og koke mat og stelle og pynte det beste hun kunne; og da hun hadde kokt og laget til dem alle, så spiste hun selv, men skjeen sin glemte hun på bordet, og så krøp hun inn under sengen til den yngste broren og la seg der.

Ikke før hadde hun lagt seg, så hørte hun det suste og hvinte i luften, og så kom alle tolv villendene farende inn; men i det samme de kom over dørstokken, ble de til prinser.

'Å, så godt og varmt her er da!' sa de; 'Gud signe den som har lagt på varmen og kokt slik god mat til oss!' Og så tok de hver sin sølvskje og skulle til å spise.

Men da hver hadde tatt sin, ble enda én liggende igjen, og den var så lik de andre at de ikke kunne skjelne¹ den fra dem. Da så de på hverandre og undret seg; 'det er skjeen til søster vår,' sa de, 'og er skjeen her, kan ikke hun være så langt unna heller.'

'Er det skjeen til vår søster, og hun finnes her, så skal hun drepes, for hun er skyld i alt det vonde vi lider,' sa den eldste av prinsene, og det lå hun under sengen og hørte på.

'Nei,' sa den yngste, 'det var synd å drepe henne for det; hun kan ikke gjøre for det at vi lider vondt; skulle noen være skyld i det, måtte det være vår egen mor.'

De ga seg da til å lete etter² henne både høyt og lavt, og til sist lette de under alle sengene også, og da de kom til sengen til den yngste prinsen, fant de henne og dro henne fram.²

Den eldste prinsen ville igjen hun skulle drepes, men hun gråt og ba så vakkert for seg: 'Å, kjære vene,¹ drep meg ikke,' sa hun; 'jeg har gått i mange år og lett etter dere, og dersom jeg kunne frelse dere, skulle jeg gjerne late mitt liv.'¹

'Ja vil du frelse oss,' sa de, 'så skal du få leve; for når du ville, så kunne du nok.'

'Ja si meg bare hvordan det skal skje, så skal jeg gjøre hva det så er,' sa prinsessen.

'Du skal sanke myrdun,'[1] sa prinsene, 'og den skal du karde[1] og spinne og veve en vev av, og når du har gjort det, så skal du klippe og sy tolv luer, tolv skjorter, og tolv kluter[1] av den, én til hver av oss, og mens du gjør det, skal du hverken tale eller le eller gråte; kan du det, så er vi frelst.'

'Men hvor skal jeg få myrdun til så mange kluter og luer og skjorter fra?' sa Snehvit og Rosenrød.

'Det skal vi nok vise deg,' sa prinsene, og så tok de henne med seg ut på en stor, stor myr; der sto det så fullt av myrdun og vagget[1] i vinden og glinste i solen, så det skinte som sne lang vei av den.

Aldri hadde prinsessen sett så mye myrdun før; og hun på timen[1] til å plukke og sanke, det beste og forteste hun vant, og når hun kom hjem igjen om kvelden, så til å karde og spinne garn av myrdunen. Slik gikk det nå både godt og lenge; hun sanket myrdun og kardet, og alt imellom[1] stelte hun for prinsene; hun kokte og hun redde opp sengene til dem; om kvelden kom de susende og brusende hjem som villender, om natten var de prinser, men så om morgenen fløy de avsted igjen og var villender hele dagen.

Men så hendte det en gang hun var på myra og skulle sanke myrdun, — og tar jeg ikke i mist,[1] så var det nok den siste gangen hun skulle dit — at den unge kongen som styrte riket der, var ute på jakt, og kom ridende hen til myra og fikk se henne. Han stanset og undres på hvem den deilige jomfrua kunne være som gikk i myra og sanket myrdun, og han spurte henne om det også, og da han ikke fikk noe svar på det han spurte om, undredes[2] han enda mer, og han syntes så vel om henne at han ville ta henne med seg hjem til slottet og gifte seg med henne. Så sa han til tjenerne sine at de skulle ta henne og sette henne opp på hesten hans. Snehvit og Rosenrød, hun vred sine hender og gjorde miner[1] til dem og pekte på sekkene hun hadde alt arbeidet sitt i, og da kongen skjønte hun ville ha dem med, sa han til tjenerne at de skulle ta og lesse på sekkene også. Da de hadde gjort det, ga prinsessen seg til tåls[1] etter hvert, for kongen var både en snill mann og en vakker mann, og han var så blid og vennlig mot henne.

Men da de kom hjem til kongsgården, og den gamle dronninga, som var stemor til kongen, fikk se Snehvit og Rosenrød, ble hun så arg og avindsyk[1] over at hun var så vakker, at hun sa til kongen: 'Kan du ikke skjønne det, at denne du har tatt med deg og som du vil gifte deg med, er en heks; hun hverken taler eller ler eller gråter.'

Kongen aktet ikke,[1] hva hun sa, og holdt bryllup og giftet seg med Snehvit og Rosenrød, og de levde i stor glede og herlighet; men hun glemte ikke å sy på skjortene for det.

Innen året var omme, fikk Snehvit og Rosenrød en liten prins, og det ble den gamle dronninga enda mer arg og avindsyk for. Og da det led ut på natten, listet hun seg inn til Snehvit og Rosenrød mens hun sov, tok barnet og kastet det i ormegården;[1] siden skar hun dronninga i fingeren og smurte blodet om munnen på henne, og gikk så til kongen.

'Kom nå og se,' sa hun, 'hva det er for en du har tatt til dronning; nå har hun ett opp[1] sitt eget barn.'

Da ble kongen så ille ved[1] at han nesten var gråteferdig, og sa: 'Ja, det må vel være sant, siden jeg ser det for mine øyne; men hun gjør det visst ikke oftere. For denne gangen vil jeg spare henne.'

Før året var omme, fikk hun en sønn igjen, og med ham gikk det akkurat som den første. Stemor til kongen ble enda mer vond og avindsyk; så listet hun seg inn til dronninga om natten mens hun sov, tok barnet og kastet det i ormegården, skar dronningen i fingeren og smurte blodet om munnen på henne, og så sa hun til kongen at hun hadde ett opp dette barnet også. Da ble kongen så bedrøvet at du aldri kan det tro, og så sa han: 'Ja, det må vel være sant, siden jeg ser det for mine øyne; men hun vil visst ikke gjøre det oftere, jeg vil spare henne denne gangen også.'

Før året var omme, fødte Snehvit og Rosenrød en datter, og henne tok nå også den gamle dronninga og kastet i ormegården. Mens ungdronninga sov,[2] skar hun henne i fingeren, smurte blodet[2] om munnen på henne, og gikk så til kongen og sa: 'Nå kan du komme og se om det ikke er som jeg sier, at hun er en heks, for nå har hun ett opp tredje barnet sitt også.'

Da ble det slik sorg på kongen at det ikke var noen måte på det[1]; for da kunne han ikke spare henne lenger, men måtte befale at hun skulle brennes levende på et bål. Da bålet sto i brann, og hun skulle settes på det, gjorde hun miner til dem, at de skulle ta tolv fjeler[1] og legge rundt om bålet, og på dem la hun klutene og luene og skjortene til brødrene sine, men i skjorten til den yngste broren manglet det venstre ermet; det hadde hun ikke kunnet rekke å få ferdig. Aldri før hadde de gjort dette, så hørte de det suste og bruste i luften; og så kom det flygende tolv villender over skogen, og hver av dem tok sin kledning i nebbet og fløy avsted med.

'Ser du nå,' sa den slemme dronninga til kongen, 'nå kan du

riktig se at hun er en heks, skynd deg nå og brenn henne før veden brenner opp.'

'Å,' sa kongen, 'ved har vi nok av, vi har skogen å ta av; jeg vil bie litt[1] ennå, for jeg har lyst til å se hva ende det blir på dette.'

I det samme kom de tolv prinsene ridende, så vakre og velvoksne som en ville se; men den yngste prinsen hadde en andeving isteden- for den venstre armen.[2]

'Hva er på ferde?' spurte prinsene.

'Min dronning skal brennes, for det hun er en heks og har ett opp sine barn,' svarte kongen.

'Hun har ikke ett opp barna sine,' sa prinsene. 'Tal nå, søster, nå har du frelst oss, frels nå deg selv!'

Så talte Snehvit og Rosenrød, og sa hvordan alt hadde gått til, at hver gang hun hadde falt i barselseng,[1] hadde den gamle dron- ninga, stemor til kongen, lurt seg inn til henne om natten, tatt barnet fra henne og skåret henne i fingeren og smurt blodet om munnen på henne. Og prinsene tok kongen og førte ham bort til ormegården; der lå de tre barna og lekte med ormer og padder, og deiligere barn kunne du ikke se for dine øyne.

Dem tok kongen med seg og bar dem bort til stemor sin og spurte henne, hva straff hun syntes den burde få som kunne ha hjerte til å forråde en uskyldig dronning og tre så velsignede barn.

'Den burde spennes mellom tolv utemte hester,[1] så de tok hvert sitt stykke,'[2] sa den gamle dronninga.

'Du har selv sagt dommen, og selv skal du få lide den med,' sa kongen, og så ble den gamle slemme dronninga spent mellom tolv utemte hester, som hver tok sitt stykke av henne. Men Snehvit og Rosenrød hun tok kongen og barna sine og de tolv prinsene med seg og reiste hjem til foreldrene og fortalte det som hadde hendt dem, og nå ble det stor fryd og glede over hele kongeriket, for det prinsessen var frelst og hadde frelst de tolv brødrene sine også.

'GOD DAG, MANN!' — 'ØKSESKAFT'

Det var engang en ferjemann[1] som var så tunghørt at han hverken kunne høre eller samle[1] det noen sa til ham. Han hadde en kjerring og to sønner og en datter, og de brydde seg ikke om mannen, men levde lystig og vel, så lenge det var noe å leve av, og maten den tok de på borg[1] hos gjestgiveren[1] og holdt bedt lag og kastut[1] hver dag.

Da ingen ville borge dem[1] lenger, skulle lensmannen komme og pante[1] for det de hadde borget[1] og ødt bort; så reiste kjerringa og barna til skyldfolkene[1] hennes og lot den tunghørte mannen bli igjen alene og ta imot lensmannen og lensmannsdrengen.[1]

Mannen gikk der og stullet og stelte,[1] og undres på hva lensmannen ville spørre etter, og hva han skulle si når han kom.

'Jeg kan ta meg til[2] å emne til[1] noe,' sa han ved seg selv, 'så spør han meg om det. Jeg får gi meg til å telgje[1] på et økseskaft.

Så spør han meg hva *det* skal bli; så sier jeg:

"Økseskaft."

Og så spør han meg hvor langt det skal være; så sier jeg:

"Opp under denna kvisten."

Og så spør han meg hvor ferja er henne; så sier jeg:

"Jeg skulle tjærebre[1] henne; hu[1] ligger nedpå stranda og er sprukken i begge ender."

Så spør han meg: "Hvor er den grå merra[1] di henne?" Så sier jeg: "Hu står på stallen følldiger."[1]

Så spør han: "Hvor er feet[1] og sommerfjøset ditt henne?" Så sier jeg:

"Det er ikke langt unna; når du kommer opp bakken, så er du der straks." '

Dette syntes han var godt og vel overlagt.[1]

Da det led om en stund,[1] kom lensmannen, han var sikker nok; men drengen hans hadde gått en annen vei om gjestgiveren, og der satt han og drakk enda. 'God dag, mann!' sa lensmannen.

'Økseskaft,' sa ferjemannen.

'Jaså — — ' sa lensmannen. 'Hvor langt er det til gjestgiveren?' spurte han.

'Opp under denna kvisten,' sa mannen og pekte et stykke opp på økseskaftemnet.[1]

Lensmannen ristet på hodet og glante[1] stort på ham.

'Hvor er kjerringa di, mann?' sa han.

'Jeg skulle tjærebre henne, hu ligger på stranda og er sprukken i begge ender.'

'Hvor er datter di?'

'Å, hu står på stallen og er følldiger,' sa mannen; han syntes han svarte både godt og vel for seg.

'Å reis du til —, din tull[1] du er!' sa lensmannen.

'Ja, det er ikke langt unna; når du kommer opp bakken, så er du der straks.'

Jørgen Moe

UNG-BIRKEN

En ung-birk[1] stander ved fjorden
og vand-spejlet ganske nær.
Hvor stor og smuk den er vorden[1]
de år, jeg har boet[1] her!
Nu løfter den hvide stamme
kronen fra bredden lav;
men tro dog ej, den vil bramme[1] —
den ved ikke selv deraf.

I Guds og i hver-mands øjne
den vokser fra dag til dag,
og kvisterne, som sig højne,[1]
nu byde hver sang-fugl tag.
Men birken undres der-over,
den kender slet ej sin rang.
Den bøjer mod vandets vover,[1]
så ydmyg bladenes hang.[1]

Just dette kan den forlene
skønhed for andre trær,[1]
og lokker hen i dens grene
al himlens vingede hær.
Just det, at den ikke tænker
at løfte sin krone op, —
men stille kvistene sænker,
gør skyggende lun[1] dens top.

Hvad kommer det af? Den skuer
sig daglig i bølgens spejl
ved siden af krat og tuer,
og — skuer så dejligt fejl.
Thi alt som[1] mod lysets riger
den hæver sin krones stav,[1]
den synes den nedad stiger
og vokser sig mere lav.

Du dejlige birk, du kære!
På dig vil jeg ofte se.
Gud give, jeg måtte lære,
hvad du mig så smukt kan te:[1]
At vokse i eget øje
nedad med hver en dag —
at krone og at ophøje,
det vorder[1] da Herrens sag!

Andreas Munch

BRUDEFÆRDEN

(Til Tidemands og Gudes maleri: Brudefærden i Hardanger)

Der aander en tindrende[1] Sommerluft
Varmt over Hardangerfjords Vande,
Hvor høit mod Himlen i blaalig Duft[1]
De mægtige Fjelde stande.[1]
Det skinner fra Bræ,[1] det grønnes fra Li,
Sit Helligdagsskrud[1] staaer Egnen klædt i —
Thi see! — over grønklare Bølge
Hjemglider[1] et Brudefølge.

Som en Oldtids Kongedatter saa prud,[1]
Med Guldkrone paa og Skarlagen
I Stavnen sidder[2] den prægtige Brud,
Saa fager,[1] som Fjorden[2] og Dagen.
Lyksalig Brudgommen svinger sin Hat,
Nu fører han hjem sin dyreste Skat,
Og seer i de Øine milde
Sit Liv som et Bryllupsgilde.[1]

Alt risler[1] det lokkende Tonefald[1]
Af Gangar[1] og Slaat[1] over Voven,[1]
Fra Fjeld til Fjeld ruller Bøssens Knald[1]
Og Glædesraab svare fra Skoven.[1]
Med Brudens Terner[1] drives der Skjemt,[1]
Og Kjøgemesteren[1] har ikke glemt
At fylde ustandselig Kruset
Til Ære for Brudehuset.

Saa drage de frem med lysteligt Spil
Hen over den blinkende Flade,
Og Baad efter Baad sig slutter dertil
Med Bryllupsgjæster saa glade.
Det blaaner fra Kløft, det skinner fra Bræ,
Det dufter fra blomstrende Abildtræ[1] —
Ærværdig staaer Kirken paa Tangen[1]
Og signer[1] med Klokkeklangen.

I dette bævende,[1] flygtige Nu,
Før Draaben af Aaren er trillet, —
Har Kunsten fæstet med kjærlig[2] Hu[1]
Det hele straalende Billed,
Og løfter det stolt for Verden frem,
At Alle kan kjende vort herlige Hjem
Og vide[2] de Eventyr klare
Som Norges Fjorde bevare.

Johan Sebastian Welhaven

Fra REISEDIGTE

XI. Republikanerne

Ved *Barrière de la Santé*
ligger en ydmyg liden Kafé.
En gammeldags Stue er al dens Plads,
der er ei Forgyldning, der bruges ei Gas.
Den har en Søgning,[1] der sjelden brister,
af Etudianter[1] [2] og smaa Artister;
og kommer ei disse, da eier den dog
en stillere Gjæst i sin dunkle Krog.
Der vandrer omkring i den straalende Stad
en skibbruden Flok, der aldrig er glad;
der møder dem Ingen med Smil eller Nik,
de færdes i Sværmen med slukkede Blik.
Pauvres honteux![1] de søge et Hjem;
en ringe Kafé er det bedste for dem.

Nu er det Midnat, der sidder en Gjæst
endnu ved sit Bord med en Sukkervandsrest.
Hans Ansigt er falmet, hans Dragt er grov,
hans Linned er reent og hans Hænder er smukke,
han støtter sit Hoved,[2] som om han sov —
der er saa tyst; man kan høre ham sukke.
Dog, mens han sidder i dette Ly,
aabner man Døren med Bulder og Gny;
det er en Skare af Ungersvende[1]
med stærke Moustacher, med Øine, der brænde.
De fløite og nynne en smuk Melodi,
en Sang fra den Stumme fra Portici.[1]
Nourrit[1] har iaften fra Scenen vakt
de fyrige Toners koglende Magt;[1]
de rulle den jublende Flok gjennem Blodet,
nu har den igjen Republiken i Ho'det.

De sætte sig matte; men atter fra Stolen
springer der En og bestiger et Bord,
han siger med rungende, vingede Ord:
'Forsamling giv Agt, jeg vil tale om Polen!'

Det var en Tale som flammende Krudt;
o, der blev stormet og spiddet og skudt.
De Franskes Konge og Raad og Kammer,[1]
gik op med *Kreml* i de samme Flammer;
men frem af de kolde og russiske[2] Grave
steg atter en Hær af Napoleons Brave;
de kæmpede med, de rystede Jorden
med Faner som Storm, med Ørne som Torden.
Paa Warschaus Mure stod atter Fama[1]
og læste for Verden et fransk Proklama,
at nu var Historiens sidste Knude
løsnet for evig og Stykket ude.
Den frie Mand og den frie Kvinde
blev proklameret i alle Vinde;
Europas Kongres forsamled sig bedst
i Polens Skjød mellem Øst og Vest,
i Warschau reistes Kongressens Salon,
og dertil en Støtte for Saint Simon.

Da jublede Flokken, og atter det lød:
'Champagne, Garçon, paa Tyrannernes Død!'
Men just da de løste den skummende Drik
saae de en Fremmed med studsende Blik;[1]
thi Proppen fløi mod den selsomme Mand,[1]
der sad i en Krog med sit Sukkervand,
'Drik,' raabte de Alle, 'Champagnen er god,
vort Bæger er helligt; drik, har du Mod!'

'Jeg drikker ei Viin, om stærk eller mild,
dens Sødme er vammel,[1] jeg hader dens Ild.
Jeg sidder med Gru paa mit Livs Ruin,
mit Bæger er tømt; jeg drikker ei Viin.'

Da blev der et Gny,[1] de kaldte ham Træl;
de raabte paa Skjændsel,[1] paa Hevn og Duel.
Han viste sit Bryst — hvor det var skrammet,
af streifende Kugler, af Klinger[1] rammet! —
'I Daarer; det er Ostrolenkas[1] Mærke.
Har I vel fattet, hvor det kan værke?
Der er ingen Lise[1] for denne Kval;
den kan ikke blunde for Sladder og Pral.[1]
Der er ingen Gjæk[1] saa vindig[1] og svag,

han sminker sig jo[1] med mit dybeste Nag,[1]
min hedeste Bøn, mit eneste Gode,
er kommen paa lallende Tunger[1] i Mode. —
Tilside Drenge, giver mig Rum!
Himlen har Stjerner, Natten er stum.'

De saae paa hverandre. Han vandred sin Vei.
De havde Champagne, men rørte den ei.

DET TORNEDE TRÆ

Ynder du Træet, da maa du ei hade
den hvasse Torn mellem Blomster og Blade;
da Træet var ungt med den blødeste Hud,
blev den et standset, forkommet Skud:[2]
en Torn er en Kvist, der har taget Skade.

Tænk, hvad et spirende Liv maa lide,
hvor Mørket ruger og Taagerne skride!
Ja, see dig om paa den fattige Plet,
hvor Træet leed og blev torneklædt,
og bar dog Blomster, duftende, blide.

Blandt al den Glæde, en Vaar udfolder,
er Tornen et Savn, som Planten beholder.
Den siger i Væxternes stumme Sprog:
'Jeg saarer, men ak, jeg gjemmer dog
en større Smerte end jeg forvolder.'

DIGTETS AAND

Hvad ei med Ord kan nævnes
i det rigeste Sprog,
det Uudsigelige,
skal Digtet røbe dog.

Af Sprogets strenge Bygning,
av Tankeformers Baand
stiger en frigjort Tanke,
og den er Digtets Aand.

Den boede i Sjælen,
før Strophens Liv blev til,
og Sprogets Malm er blevet
flydende ved dens Ild.

Den gjennemtrænger Ordet
lig Duft, der stiger op
af Rosentræets Indre
i den aabnede Knop.

Og skjønt den ei kan præges[1]
i Digtets Tankerad,
den er dog der tilstede
som Duft i Rosenblad.

Glem da den gamle Klage,
at ingen Kunst formaaer
at male Tankefunken,[1]
hvoraf et Digt fremstaaer.

Thi hvis den kunde bindes
og sløres af[1] paa Prent,
da var i denne Skranke[1]
dens Liv og Virken endt.

Den vil med Aandens Frihed
svæve paa Ordets Klang;
den har i Digtets Rhytmer
en stakket[1] Gjennemgang.

En Gjennemgang til Livet
i Læserens Bryst;
der vil den vaagne atter
i Sorrig[1] eller Lyst.

Og næres og bevæges
og blive lig den Ild,
der laae i Digtersjælen,
før Strophens Liv blev til.

Kun da bevarer Digtet
sin rette Tryllemagt,
det Uudsigelige
er da i Ordet lagt.

Betragt den stille Lykke,
der gjør en Digter varm,
mens Aanden i hans Sange
svæver fra Barm til Barm.

Lad kun hans Rygte[1] hæves
mod Sky af Døgnets Vind,
det er dog ei den sande
Kvægelse[1] for hans Sind.

Men naar hans Tankebilled,
med eller uden Ry,
finder et lutret Indre,
og fødes der paany —

O, bring ham da et Budskab
om dette Aandens Bliv;
thi dermed er der lovet
hans Verk et evigt Liv.

DEN SALIGE

O, vær hilset atter og velsignet
blide Aand, fra Salighedens Hjem!
Ingen Glæde paa min Vei har lignet
den, du kaldte af min Vaardrøm frem;
ingen Kval kan falde paa mit Hjerte
tungt som den, du klaged i min Favn.
O, du Salige, i Fryd og Smerte
har min Sjel en Gjenlyd af dit Navn.

Alt er følt, fuldkommet og erindret,
Alt fornyes evig i mit Sind;
mildt og ømt har Sorgen, der er lindret,
spredet Mindets Fred om mine Trin.
Sorgen vaaged, hvor din Aske blunder,
og den vandred gjennem Ørkner hen,
og tilsidst, ved Kjerlighedens Under,
fik jeg dig, du Salige, igjen.

Og da kom du fra de stille Lande,
og den lange Sørgenat blev klar,
klar ved Skinnet om din rene Pande
og ved Straalen, som dit Øie har;
og paany din Salighed er over
mine Drømme som et Lysets Bad,
og jeg hører atter, hvad du lover,
at vi aldrig mer skal skilles ad.

EN SANGERS BØN

Verdens Tonefylde føres
viden om i Klang og Kvad;
Strengespil og Tunger røres,
Ord og Toner følges ad.
Under denne Strøm, som lyder,
tyst i alle Sjele flyder
Dybet, som af Gud kun høres.

Stille Dyb, hvor Toner blunde,
som skal vaagne lydt[1] engang,
kun din Breds de dunkle Lunde[1]
har et Nyn, en dæmpet Klang.
Lifligt gjennem Toners Rige
Nyn og Klang vi høre stige
fra de dunkle, skjulte Grunde.[1]

Saligt har mit Øre dvælet
ved saa mangen Toneleg,[1]
mens til Sange den besjeled
Haab, som af mit Indre steg.
Han, der Hjertets Uro hørte,
naadigt ved min Tunge rørte,
skjenkede mig Sangermælet.

Men i Dybet, som jeg gjemmer,
dulgt for Verden, kjendt af Gud,
der har Sjelen bundne Stemmer,
som skal løses paa hans Bud;[1]
Sukke kun derinde bæve,
at hans Aand vil oversvæve
Dybets Liv, som han fornemmer.

Aanders Herre, du skal raade
for de Skatte, du mig gav.
O, men vis mig og din Naade,
naar min Sang er stilnet af;
thi alt mer mit Hjerte banker
i usigelige Tanker
ved den store Livets Gaade.

Lad min Sangerkrands da slynges
hen i Støv paa Glemsels Kyst,
naar kun hist, hvor Alt forynges,
Sjelens Dyb har lutret Røst;
naar kun der jeg griber Tonen
i det store Kvad for Thronen,
som til Himlens Harper synges.

LOKKENDE TONER

Der fløi en Fugl over Granehei,
som synger forglemte Sange;
den lokked mig bort fra slagen Vei[1]
og ind paa skyggede Gange.[1]
Jeg kom til skjulte Kilder og Kjern,[1]
hvor Elgene Tørsten slukke;
men Fuglesangen lød endnu fjern
som Nyn mellem Vindens Sukke:
    Tirilil Tove,
langt, langt bort i Skove!

Jeg stod i Birkenes høie Sal,
mens Midsommerdagen[2] helded;
der tindrede Dug i dyben Dal,[1]
det skinned som Guld af Fjeldet.
Da bæved Lunden, da lød det nær
som af en susende Vinge,
og grant[1] jeg hørte fra Fjeld og Træ'r
de lokkende Toner klinge:
    Tirilil Tove,
langt, langt bort i Skove!

Der fører en Sti saa langt af Led
til Lien, hvor Fuglen bygger;
der stemmer den op hver Sang, den ved,
i dunkleste Graneskygger.
Men om jeg aldrig kan vinde did,
jeg kjender dog Lokkesangen,
hvor sødt den kalder ved Sommertid
naar Kvelden har dugget Vangen:[1]
    Tirilil Tove,
langt, langt bort i Skove!

NØKKEN

Jeg lagde mit Øre til Kildens Bred,
og lytted til Nøkkens Sange,
og Egnen hvilte i stille Fred,
og Dagen led,
og Skyggerne bleve lange.

Man siger, at Nøkken[1] er fri og glad,
og dandser paa Kiselstenen;
men Fuglen hører bag Birkens Blad
hans Vemodskvad,
og vugger sig taus paa Grenen.

Naar Skumring hviler paa Fjeld og Vang,
og lukker Alverdens Munde,
da nynner han først[1] sin bedste Sang;
hans Nat er lang,
han kan ei hvile og blunde.

Jeg hørte ham hulke, mens Aftnens Skjær
svandt hen bag de dunkle Skove.
Da trillede Duggen fra alle Træ'r,
der stode nær
og skygged den klare Vove.[1]

Hans Harpe spilled med dæmpet Stræng
den ømmeste Serenade:
'God Nat min Rose; ak, til din Seng,
fra Skov og Eng,
gaae Drømmenes Alfer glade.'

'Du aander og gløder saa skjær[1] og varm,
og veed ei hvad jeg maa friste.[1]
Jeg døver min Sorrig[1] i Suus og Larm;
men ak, min Barm
vil aldrig ditt Billed miste.'

58

Henrik Wergeland

Fra DIGTE. ANDEN RING

XVIII.   Til en Gran

Bekrandste, høie Ætling af
den Gran, som først de Gother[1] gav
  den djærve Kunstmodel
til Kathedral paa Kathedral,
til Notredamens Høiportal,[2]
til Münstren,[1] til Vestminsterhal,
  til Pisas Taarn paaheld![1] —

Her i den skumle Dal forglemt
Du sørgende i Skyen gjemt
  din stolte Isse har.
Du speider mørkt derovenhen
mod graneformte Taarn af Steen,
og kjender sukkende igjen
  et Billed af din Far.

   [. . .]

Klag ei; thi mangtet Hjerte, der
Model for Himmeldomer[1] er,
  ukjendt, i Pjalter[1] slaaer.
Tungsindig sidder paa sit Fjell,
en ledig Helt, en ubrugt *Tell*;
en *Byron* tidt, en *Platos* Sjel
  i Folkets Sværm forgaaer.

   [. . .]

— Min Gran! Du ødsler hen lig dem
din Høihed i dit skjulte Hjem.
  I Pavens Lateran[1]
ei straaler Kjerterad saa reen
og fuld som din bedugg'de Green.[1]
Hvor lød en Messe from som den
  en Fugl sang i min Gran?

   [. . .]

En vellugtopfyldt Dunkelhed,
et Chor du har, et helligt Sted;
    men intet Billed der.
Uskyldige Natur, som har
dig reist, til Gud umiddelbar
tør tale, mens et Sonaltar
    den Faldnes Midler[1] er.

Af Stormen gjennemorgles Du
med et Tedeums søde Gru —
    Tedeum!? — Ak min Sjel,
syng Psalmen med som synges der:
'Naturens Tempel Himlens er;
selv vesle Moseblomme skjær
    et Himmelens Capel'.

EFTER TIDENS LEILIGHED

Stenen i Stefanens Pande[1] —
Den er Løgnen mod det Sande.[2]
    Taabelige, grumme Haand,[1]
    som vil sigte paa en Aand!
Ha, hvad Sejersglands, der bryder
af det Saar, hvis Blodstrøm flyder!

Løgnen kun Sekunden vinder.
Intet Sandhedsord forsvinder.
    Som et Hvift af lette Lin
    løsner styrtende Lavin,[1]
er Det nok til at begrave
Verden, naar den er aflave.[1]

Men Det maa ei hviskes stille.
Sandheds Ven ei blot maa ville.
    Vær i Et og Alt dig Selv!
    Det er Sejrens Kunst, min Sjel!
Som Stefanen mellem Stene
maa du staae, om selv alene.

OMEN ACCIPIO

Nu blev mit Huus velsignet:
  en Svale fløj derind,
saa snar og glad som Tanken,
  der gjennemfoer mit Sind.

De Begge kom fra Himlen.
  Lod sig min Tanke see,
den guldblaa var som Svalen
  eller hvid som Sne.

Og Mage kom med Mage.
  Det var et Varsel meer.
Thi noget Godt ei kommer
  alene, siges der.

Uskyldighed og Ømhed
  just søgte sig et Hjem.
Held Dig, min nye Hytte,
  at Du behagte dem!

MIN VIVS[1] HJEMKOMST

Gudskelov, min hulde Hustru![1]
Gudskelov du engang kommer!
O, Velsignede, velkommen!
O velkommen tusind Gange,
var dit Fravær ei slig Sorg!

O med tusind Kys velkommen,
da dit Fravær er slig Sorg!
O velkommen hjem igjen,
til mit Hjerte hjem igjen,
inden disse Armes Grændser,
hvor, min Viv, din Verden ender!
O velkommen hjem igjen!

Jeg har længtes, til jeg blegned,[2]
til mit karske Hjerte sygned,[1]
aabnet Favnen, fanget Luften,
til min stærke Arm nedsegned.
Du maa troe det — ja ved alle

denne Midnats vaagne Aander! —
skjøndt imorgen ved dit Hjerte,
Elskte, du min Kind[1] vil finde
blussende af Glædens Sundhed.

O velkommen, hulde Hustru!
skjønne Text for mine Sange!
søde Smag for mine Læber!
bløde Marmor for mit Favntag!
ædle Billed for min Aands
dybe, jublende Tilbeden!
O velkommen hjem igjen!

Ak, hvad kan min Styrke tvinge,
saa jeg ikke op kan springe?
Ak, hvad binder mine Arme,
at jeg ei dig kan omfavne?
Ak, hvad kan mit Øie blinde,
saa det ei sit Syn kan finde?

Har da hist fra Dødninghaven
stakkels ugift Qvindes Geist,[1]
svøbt i Hyldens Duft paa Graven,
sig i Sommernatten reist?
er ind af mit aabne Vindu
opad lette Ranke[1] stegen,
for med Trolddom mig at gjække,[1]
min Henrykkelse at vække,
for med den Bedragnes Qval
sin at kunne vederqvæge?[1]

'Det er mig, og ikke Hende,'
klang det, klang, som om man kunde
tænke Klang fra Engens Klokkes
og Konvallens[1] spæde Munde,
Toner i en Liljes Stengel.
'Det er mig! Du bør mig kjende:
Jeg er din og hendes Engel,
Død forlængst og før jeg vidste,
at jeg var din første Elskov.
Jeg velsignet har din sidste,
aandet al min Ømhed ind

i din Elsktes Jomfrusind,
strøget ned med bløde Vinger
Ringen først paa hendes Finger.
Naar I ere glade sammen,
er det mig, som altid fylder
med den Tanke Eders Sjele,
at en Himmelsk[1] Glæden deler.
Da for Alteret I knælte,
holdt jeg over eder Begge
svævende en himmelsk Krands
med en nærudsprungen Knop
for ethvert af eders Løfter.
Jeg for Herrens Throne lagde
knælende den som et Offer;
og der ikke een er visnet,
men den er endnu saa frisk
somom den var nylig dyppet
i en Evighedens Kilde.
Og nu er jeg kommen hid,
for din Hustrus rene Leje
at bestrøe med hvide Roser.
Thi maaskee jeg burde tie,
thi — hun kommer end i Nat.'[1]

Fra JØDEN

I. Sandhedens Armée

Ord? Som Verden saa foragter?
     Ord i Digt?
Endnu meer foragteligt!
Ak, hvor usle disse Magter
     til at fegte[1]
for den Sandhed I fornegte!

Lyn bør slaa og Tordner rulle
     foran *den*.
Sendt tilhjælp fra Himmelen,
Legion af Engle skulde
     sine Fløje[1]
sprede viden om den Høje.

Ak, hvi[1] kommer, himmelbaaren,[1]
　　Den ei selv?
synlig, med en Stjernes Hvælv
til en Hjelm om Panden skaaren?
　　Bedre, bedre
fløi dens Flugt med Sværd til Fjedre.[1]

Ak, hvi har den sine Telte
　　ikke spændt
skinnende paa hver en Skrænt?
Ak, hvi har den sine Helte
　　ikke givet
Herredømmet over Livet?

Mørkets Vold[1] er steil at storme.
　　Overtro
hviler fast paa Søilers Ro.
Talløs som Ægyptens Orme
　　er den sorte
Fordomshær ved Templets Porte.

Fremad dog, I usle Rader!
　　Hær af Ord!
Eder Seiren dog paa Jord
lovet er af Lysets Fader,
　　naar I tjene
Sandheden, hans Barn, alene.

Fremad, Ord, I Sandheds Helte!
　　En avant!
Adamshjerterne engang
blive eders Sejerstelte.
　　Straaler spile
vil dem ud[1] til eders Hvile.

Fremad, med Viziret lettet,
　　Sandhedsord!
Thi den største Magt paa Jord
Eder er af Gud forjettet:[1]
　　at I kunne
ikke dø, I Sandhedsmunde!

Derfor modige, I Dverge!
Sandheds Sag
seirer kun i Nederlag.
Stormer Løgnens Ørkenbjerge!
Hen I veire[1]
dem og Fordoms Taageleire!

IV. Juleaftenen

Hvo[1] mindes ikke
et Veir, han troer, ei Himlen meer kan skikke?
et Veir, som om hver Sjel, fra *Kains* til den,
Gud sidst fordømte,
den Jord forbandede, fra Helved rømte,
som friste dem at svige Himmelen? . . .

Et Veir, hvis Stemmes
Forfærdelser ei mere kan forglemmes?
Thi Alle tænkte: det maa være sendt
for *min* Skyld ene;
Orkanens Tordner mig kun mig de mene;
min Synd er bleven Aanderne bekjendt . . .

Et Veir, hvis Styrke
kan lære Præst og Troende at dyrke
Dæmoner i det Element, hvis Brag
den Gamle høre
fra Barnsbeen kan i sit bemoste Øre[1] . . .
et Skyens Jordskjælv, Luftens Dommedag? . . .

Et Veir, som rysted
den Stærkes Hjerte i dets Skjul i Brystet,
et Himmelveir, hvori sit eget Navn
han paaraabt hørte
af Aander, Stormene forbi ham førte,
mens hver en Trætop hylte som en Ravn?

Men Ravnen gjemte
sig selv i Klippen, Ulven Sulten tæmte,[1]
of Ræven vovede sig ikke ud.
I Huset sluktes
hvert Lys, og Lænkehunden indeluktes[1] . . .
I sligt et Veir, da faaer du Bønner, Gud!

I sligt et Veir — det var en Juleaften —
da Nat det blev før Dagens Maal var fuldt,
befandt en gammel Jøde, nær forkommen,[1]
sig midti Sverigs[2] Ørken, Tivedskogen.
Han ventedes til Bygden denne Side
fra Bygderne paa hiin, for Julens Skyld,
af Pigerne med Længsel, thi i Skræppen
laae Spænder, Baand og alt hvad de behøvde
for Morgendagen, Andendag og Nytaar.
Det gjorde Længslen spændt, men ikke bange;
thi endnu havde 'Gamle-Jakob' aldrig
den svigtet nogen Juul: Han kom saa vist
som Juleaftnen selv.

I sligt et Veir . . .
          'Tys! var det atter Stormen,
som hylte gjennem Grenene? Det skreg.
Nu skriger det igjen.' Og Gamle-Jakob
flux[1] standser lyttende for anden Gang.
Nu tier det. Thi Stormen øger paa,
som Fossen drøner[2] over Den, der drukner.
Han vandrer atter. 'Tys! igjen en Lyd!'
— en Lyd, som skar igjennem Skovens Brusen.[2]
'Den falske Hubro skriger som et Barn.
Hvo slipper Barn vel ud i saadant Veir?
Det gjør ei Ulven selv med sine.' Og
den Gamle stolper[1] atter frem i Sneen.
Da skreg det atter, saa han meer ei tvivler;
thi dette Stormkast, som hist borte alt
et snoet Snetaarn hvirvler[1] over Skoven,
har ført et *Ord*, et enkelt Ord forbi;
og flux han drejer did hvorfra det kom,
arbeidende sig dybere i Skoven
og dybere i Sneen og i Natten,
der som en kulsort Fjeldvæg reiste sig
mod hvert hans Skridt, af Fyg[1] kun gjennemlyst,
som om den hele vilde Skov[2] var fuld
af flyvende slørhyllede Gespenster,[1]
der hylende sig stilled ham ivejen,
paa luftig Taa sig hvirvled, voxte rædsomt,
og saa forsvandt imellem Stammerne.

Dog kjæmper Oldingen sig frem mod Stormen.
Han vandrer naar den voxer; naar den sagtner
og drager Aande, lytter han paaknæ.
Men flux han springer op, og gaaer i Mulmet,[1]
som Dvergen trænger gjennem sorte Muld.
. . . Han hører intet meer. Den Gamle skjælver
ved Tanken, at ham onde Aander gjække,[1]
og mumler frem de Bønner, som han veed.
Da klynker det igjen, og ganske nær;
hans eget Raab[2] mod Stormen vender kun
tilbage i hans Mund. Men hist, ja hist!
Ti Skridt endnu! Der rører noget Mørkt sig
paa Sneen, som om Stormen legte med
en Stubbe, der var løsnet lidt i Roden.

'O Jehovah! en Arm! O Jehovah!
et Barn, et Barn! Men dødt! — '

Ak, tænkte Stjernerne i denne Nat,
da Bethlemsstjernen lyste mellem dem,
at intet Godt paa Jorden kunde skee?
Thi ingen af dem saae, at Gamle-Jakob,
saa glad som om en Skat han havde funden,
flux kasted bort sin hele Rigdom: Skræppen,
trak af sin knappe Kjole,[1] hylled den
om Barnets Lemmer, blottede sit Bryst,
og lagde saa dets kolde Kind derved[1]
indtil det vaagned af hans Hjertes Slag.
Da sprang han op. Men nu hvorhen? Thi Stormen
har blæst hans Spor igjen. Det ei bekymred.
Thi han i Tordenen i Skovens Toppe
nu hørte Davids Jubelharper kun;
ham Fygene nu syntes som Cheruber,
der viste Vej paa svanehvide Vinger,
og i det Maa og Faa, han fulgte,[1] følte
han Herrens eget stærke Fingertræk.

Men Huus paa vilde Tiveden at finde
i slig en Nat, da Lys ei turde brænde?
Og midtvejs laa der kun en enkelt Plads;
det lave Tag[2] ei skilles kan fra Sneen,
den sorte Væg ei fra et Klippestykke.
Dog standstes ved et Under han af den.
Der sank han ned. Han mægted[1] ikke mere;

og mange Vindstød foer før med sin Byrde
han aarkede at slæbe sig til Døren.
Han banked sagte først, thi Barnet sov;
og nu først savned han sin tabte Skræppe,
fordi han intet ejede at give
de gode arme Folk, som snarlig ville
med gjæstfri Hasten aabne Døren. Ak,
han banked mange Gange før det svared:
'I Jesu Navn, hvem der i slig en Nat?'
'Den gamle Jakob. Kjende I mig ei?
den gamle Jøde?'
   'Jøde!' skreg forfærdet
en Mands- og Qvinderøst. 'Da bliv du ude!
Vi eje ingenting at kjøbe for,
og blot Ulykke vil du bringe Huset
i denne Nat, da *Han* blev født, du dræbte.'
'Jeg?'
'Ja dit Folk, og det er Synden, som
igjennem tusind Led skal straffes.'
       'Ak!
Inat da Hunden lukkes ind?'
      'Ja Hunden,
men ingen Jøde i et kristent Huus.'

Han hørte ikke meer. De haarde Ord
ham koldere end Vinden gjennemhvinte,
og slængte, stærkere end den, ham ned
i Sneen,[2] bøjet over Barnets Slummer.
Da syntes ham, mens han mod Vindvet[2] stirred,
om ei det hvide Ansigt atter kom
tilsyne dog, som om han sank i Duun,
at liflig Varme gjennemflød hans Aarer,
og at bekjendte Væsner, hviskende
som Sommervindens Æolsspil i Græsset,
omsvævede hans Leje, indtil En
med løftet Finger sagde: kom! han sover.
Og i en oplyst Sal ved Siden af
forsvandt de Alle; Barnet kun forblev der
ved Foden af hans Leje, dragende
hans Puder stedse bedre om ham, til
det forekom ham selv, at han sov ind.
— Det Sneen var, som voxte om den Døde.

'O Jesus! Jøden sidder der endnu!'
skreg Manden, da han saae om Morgnen ud.
'Saa jag ham bort! Det er jo Juledag,'
faldt Konen ind. 'Og se den Jødeskjelm,[1]
hvor fast han holder Bylten klemt til Brystet!'
'Han er paatrængende med sine Varer.
Med stive Blik han seer herind, som om
vi havde Penge nok at kjøbe for.'
'Dog gad jeg see hvad han i Bylten har.'
'Viis frem da, Jøde!'
                    Begge treen de ud.
Den frosne Glands de saae i Ligets Øine.
De blegned meer end det, de skreg af Skræk,
og skjalv[2] af Angrens Slag.
                           'O Jemini![2]
Hvad Uheld her er hændt!'
                         De op ham reiste,
og Bylten fulgte med. De aabned Kjolen.
Der hang, med Armene om Jødens Hals,
Margrethe,[2] deres Barn — et Liig som Han.

Saa slaaer ei Lyn, saa rappe Orm ei bider,
som Skræk og Smerte Ægteparret slog.
Saa bleg som Faderen var ikke Sneen,
saa hylte Stormen ei som Moderen.
'O Gud har straffet os! Ei Stormens Kulde,
vor egen Grusomhed har dræbt vort Barn!
Forgjæves! ak, som Jøden paa vor Dør
paa Naadens ville vi forgjæves banke.'

*   *   *

Da Skoven veibar[1] blev, kom Bud fra Gaarden,
hvor lille Gretha[2] fostredes ilægd,[1]
og hvorfra hun, da Helgen ind blev ringet,
før Veiret kom, var vandret af sig selv,
Forældrene at gjæste Juleaften.
Dog kom det ei at spørge efter Barnet,
men efter Jøden fra de Bygdens Piger,
hvis Haab nu til at kunne gjæste Kirken
kun stod til Nytaarsdagen, om han fandtes.

Der laa han død i Stuen foran Arnen,[1]
hvor Manden med et Blik som Jødens frosne,
og i en Stilling krum som Ligets, sad,
i Baalets røde Aske stirrende
og stedse øgende dets Brand, at Liget
dog kunde blive strakt og Haanden korslagt.
Men foran laa paaknæ Margrethas Moder,
sin Lilles stive Arme bøjende
bestandig fastere om Ligets Hals.
'Hun ei tilhører mere os,' hun hulked,
'Han har vort Barn sig tilkjøbt for sin Død.
Vi tør ei skille liden Gretha fra ham;
Thi Hun for os maa bede Jesus om
hans Forbøn hos sin Fader; thi for *Ham*
vil arme *Jøde* klage — —.'

PAA HOSPITALET, OM NATTEN

Igjennem det store Fønster[1]
Fuldmaanen stirrer ind.
'Ak, ligger du der, min Elsker,
vel blegere end mit Skin?'

'Jeg gik forbi din Hytte;
paa Arnen var ei Glød,
paa Væggen stod Uhret stille,
i Vinduet Rosen død.

Nu gaar jeg til Stjernehaven.
Der falder Dugg saa sval.
Jeg den din Feber bringer
i mine Horns[1] Pokal.

Nu gaar jeg til fjerne Høje,
hvor Evighedsblommer gro.
Fyldt er med Livsenshonning
Nektariets Gyldensko.[1]

Jeg gaar til Drømmenes Rige;
jeg fanger et Par saa smukt.
De skulle med Vifter jage
din Pandes Sved paa Flugt.

Om fiirogtyve Timer,
    imellem Eet og To,
du kan igjen mig vente
    med Helsebod og Ro.'

[. . .]

TIL FORAARET

O Foraar! Foraar! red mig!
Ingen har elsket dig ømmere end jeg.

Dit første Græs er mig meer værd end en Smaragd.
Jeg kalder dine Anemoner Aarets Pryd,
skjøndt jeg nok veed, at Roserne ville komme.

Ofte slyngede de Fyrige[1] sig efter mig.
Det var som at være elsket af Princesser.
Men jeg flygtede: Anemonen, Foraarets Datter, havde min Tro.[1]

O vidn da, Anemone, som jeg fyrigen har knælet for!
Vidner, foragtede Løvetand og Leerfivel,[1]
at jeg har agtet eder meer end Guld, fordi I ere Foraarets Børn!

Vidn, Svale, at jeg gjorde Gjæstebud for dig som for et
hjemkommet fortabt Barn, fordi du var Foraarets Sendebud.

Søg disse Skyers Herre og bed, at de ikke længer maae ryste Naale
ned i mit Bryst fra deres kolde blaa Aabninger.

Vidn, gamle Træ, hvem jeg har dyrket som en Guddom
og hvis Knopper jeg hvert Foraar har talt ivrigere end Perler!

Vidn Du, som jeg saa ofte har omfavnet
med en Sønnesønssøns Ærbødighed for sin Oldefader.

Ah ja,[2] hvor tidt har jeg ikke ønsket at være en ung Løn
af din udødelige Rod og at blande min Krone med din!

Ja, Gamle, vidn for mig! Du vil blive troet.[2]
Du er jo ærværdig som en Patriark.

Bed for mig, skal jeg øse Viin paa dine Rødder
og læge dine Ar[1] med Kys.

Din Krone maa alt være i sit fagreste Lysgrønt,
dine Blade alt suse derude.

O Foraar! den Gamle raaber[2] for mig, skjøndt han er hæs.
Han rækker sine Arme mod Himlen, og Anemonerne,
dine blaaøiede Børn, knæle og bede[2] at du skal
redde mig — mig, der elsker dig saa ømt.

TIL MIN GYLDENLAK

Gyldenlak,[1] før Du din Glands har tabt,
da er jeg Det hvoraf Alt er skabt;
ja før Du mister din Krones Guld,
    da er jeg Muld.

Idet jeg raaber: med Vindvet op!
mit sidste Blik faar din Gyldentop
Min Sjel dig kysser, idet forbi
    den flyver fri.

Togange jeg kysser din søde Mund.
Dit er det første med Rettens Grund
Det andet give du, Kjære husk,
    min Rosenbusk!

Udsprungen faaer jeg den ei at see;
thi bring[1] min Hilsen, naar det vil skee;
og siig, jeg ønsker, at paa min Grav
    den blomstrer af.

Ja siig, jeg ønsker, at paa mit Bryst
den Rose laa, du fra mig har kyst;
og, Gyldenlak, vær i Dødens Huus
    dens Brudeblus![1]

DEN SMUKKE FAMILIE

Mærkværdigt! O, meer end Mærkværdigt! Vidunder! Vidunder!
O, at mine Knæ aarkede at bøje sig for at tilbede!

Min Sjel har slaaet[2] sine Vinger sammen;
den knæler ligesom i et tilhyllet Kapel;

thi mine Øine have[2] lukket sig over det Syns Herlighed,
jeg har havt.

'Se dog' — sagde jeg til min Viv — 'maaske gjør jeg Rosen Uret.
Kanske dog een er udsprungen inat.'

'Een fuldtudsprungen!' — raabte hun slaaende sine Hænder
sammen — 'og sex halvtudsprungne omkring.'

'O hvilken smuk Familie!' sagde jeg.
'Den Fuldtudsprungne er som en Moder mellem sine Døttre.'

Vidunder! Himmelens Vidunder!
I den største Rose sad der en Matrone,[1] ikke større end en Humle,
og klædt som den i Gyldenstykkes Trøje[1] og sort Skjørt
og spandt nogle fine Støvtraade ud af en Blomsterkolbe til Teen.[1]

'Srrr Stille!' sagde hun. 'Aabn med et Kys[2] de sex
halvtudsprungne af disse Roser, skal du faa se mine sex ældste Døttre.

Vi ere Génier,[1] Englenes Tjenerinder.
Alle Vi ere i din Moders Tjeneste.
Hun har sendt os for at forfærdige[1] den Dragt,
hvori din Sjel skal fare hen.'

Jeg aabnede, som befalet, den ene Rose efter den anden.
I hver af dem sad en Genius, herligere klædt end Guldbillen.
Alle arbeidede de som Moderen.

Ansigterne syntes mig bekjendte.
De syntes mig at være afdøde Elsktes.

'Se hvilken herlig rosafarvet Tunika,[1] du skal faa!',
sagde den Første.

'Frygt ikke for at den er for liden,' sagde den Anden.
'Saasnart den kommer ud under[2] fri Himmel, udvides den.'

'Jeg toer dit Skjærf',[1] sagde den Tredie, toende nogle fine gyldne
Traade i en Duggdraabe.

'Og Jeg! og Jeg,' sagde de Andre eftersom jeg kom til dem,
'Se her! Se her!'

Og En lavede Rosenolje til at smøre de fine Fjer med,
som de sagde Sjelen[2] allerede nu bar.

En syede paa et Par Sandaler, der saae ud som et Par af de
smaa hule fine Blade i Rosens Indre.
'Med dem kan du træde paa Solens Glødbund' sagde hun
og syede og syede med en Syl ikke større end en Mygs Brodd.

Den Sjette sad med Hænderne i Skjødet.
'Jeg er alt færdig' sagde hun: 'Min Moder har alt faaet
mit Spind,[1][2] og saa kan jeg da sladdre[1] lidt.'

'Men kjender du mig ikke? Jeg er det fattige Barn,
som du ønskede var dit.'

'Se!' sladdrede hun. 'Vi ere flere end syv.
Vi ere Een og Tyve.' Og til min Forbauselse tællede jeg
fjorten Knopper til.

'Først naar den Sidste aabner sig,' vedblev Hun,
'ønske vi Du[2] skal flyve med til Himlen,[2] og Du skal se,
hvor smukke og store vi blive i Flugten.'

'I den sidste Knop ligger kun en Kanarifugl, ikke større end et
Bygkorn, og en høirød Dompap, ikke større end en Granat.'[1]

'Din Moder sender dem for at Du kan se, at Du træffer Alle
igjen i Himlen, som Du har elsket, endog det Mindste.
De søde Smaa skulle flyve med os tilbage.'

'Naar Hjertet hæves til Herligheden, fæster ogsaa det uskyldige
Jordiske, det har elsket, sig til det som til en Magnet . . .'

'Tys!' hviskede den søde Sladdrerske.
'Jeg forraader af Himmelens Religion.'

'Dog vil jeg sige Dig, at Du skal faa se din Hest om du længes.
Du skal synes, at Du lægger[2] din Haand paa hans Hals.

I en Skydal skal Du se ham spise Nelliker tilhøire
og Levkøjer[1] tilvenstre.'

'Vil Du endnu engang tumle den;
nu vel! Himlen har vide Sletter.'

'Det vil glæde din Moder, at du ikke har glemt hendes
Yndling, som hun saa ofte har klappet.
Hun har fortalt os, at Brunen[1] hver Dag kom til hendes Vindu
og saae med de kloge Øine paa hende
til den venlige Haand kom ud.
Visselig, hendes Hjerte vil banke af Fryd over din Fart paa ham,
thi hun veed at dit fryder sig, naar du sprænger opad
et af Tordenens Bjerge eller over Lynildens Strømme.'

'Nu har jeg talt. Lad nu Rosen lukke sig for jeg trænger
til Hvile efter mit Arbeide.
Kun det endnu: saasnart den sidste Knop har aabnet sig,
falde vore Arbeidsceller sammen og vi ile[2] tilbage til din Moder
med den himmelske Dragt, hun vil skjænke sin Førstefødte.'

Fra HASSEL-NØDDER

IV. Et helvedes Jevndøgn[1]

Skulde man troe det muligt, at gjøre en endnu ynkeligere Figur
som Elsker, end den jeg allerede har gjort? Jeg skriver ikke for
at advare mod Forlibelse[1] i og for sig, (hvilket vilde være at sætte
en Pind[2] til at standse et Fossefald) men forat advare mod de Daar-
skaber,[1] hvortil den kan forlede netop de Gemytter,[1] som, paa Grund
af sine Følelsers Styrke og Oprigtighed, mindst fortjene at blive til
Nar for den; men som dog just allermeest ere udsatte[2] for denne
Skjebne, og det ikke altid i den første Ungdom.
Idetmindste var jeg et Par Aar eller mere over de Tyve, da
jeg en vakker Vinter-Søndagmorgen midt paa en milelang Mo[1]

befandt mig liggende i en af de Sveiver,[1] som Tømmerkjørere udhule
i Vejen. Den garanterede Egenskab ved mit selvopfundne Kjørered-
skab, en Slags Pulk,[1] ikke at kunne vælte, var fløiten;[1] og uagtet jeg
ikke kunde øine andet Liv i det lange Perspektiv frem og tilbage
henad Moen, end min Brunen i uafbrudt jevnt Trav til den ikke
var større end en Flue, var jeg dog ærlig nok til at beslutte, for
Eftertiden ikke mere at tale om min Pulks Uomvæltelighed;[1] og
anbefaler jeg dette Exempel især til dem som handle med Heste,
Uhre,[2] Fortepianoer og deslige.[1]

Der gik meget længere Tid inden jeg fik Hesten fat, end jeg vil
behøve til at fortælle Aarsagen baade til Reisen og til dette keit-
hændede Omen,[1] dette Reisens første og mindste Uheld.

Jeg havde allerede i længere Tid[2] fundet, at en theologisk Kan-
didat burde være forlovet og at en Embedsmands ret smukke
Datter en Miils Vej borte baade var et passende Valg saavel i
sig selv som med Hensyn til Afstanden, eftersom Vejen var lang
nok baade til at vise Lidenskab, om jeg vilde tage den gaaende,
som og til[1] at tilkjendegive Lidenskabens Stigen og Synken, alt-
som jeg oftere eller sjeldnere betraadte den. Sommeren var gaaen
hen[2] med en heel Deel paafaldende Besøg af mig tilfods. Engang
havde jeg endog altfor tydeligen[2] røbet hvad der drev mig hver
Uge til disse Spadsereture[2] paa en stiv Miil gjennem dybe Sand-
moer først i Solheden strax over Middag og saa udpaa Natten[2]
Milen tilbage igjen. Frithjofs Saga[1] var dengang i Alles Munde,
og saa havde jeg da tidlig i Junimaaned ladet gjøre en bitte lille
Sølvkurv[2] af en Bondesølvsmed og sendte den til min Dame med
nogle Jordbær saa nær Modenheden, som det havde været mig
muligt[2] at finde dem, samt et halvskudt Rugax i, ledsaget af følgende
betydningsfulde Linjer af Tegnér:[2]

'Det første Jordbær, som blev rødt,
det første Ax, sig gyldent bøjed,
gav Han sin Ingeborg fornøjet.'

Men jeg fik saamen ogsaa Kurven tilbage.

Hvor jeg forbandede det Indfald at vælge den ominøse Tingest,[1]
en Kurv! Virkelig — jeg havde intet ondt tænkt derved,[2] intet
andet end[2] at slige Sager virkelig laae mest passende i en Kurv.
Men det andet Kjøn tænker altid finere, og saaledes maatte jeg[2]
tage Kurven tilbage, uagtet jeg antydede, at den dog lod sig bruge
til at lægge Naale i.

Nu skulde jeg bære mig klogere ad. Jeg var bleven træt af Mile-
marscherne[2] og Vinteren var kommen. Pigen var desuden i et

Besøg paa længere Tid hos Præsten i en Nabobygd. Did besluttede jeg da at sende et alvorligt Frierbrev. Der kunde hun i bedre Ro fatte sin Beslutning.

Denne burde jeg have oppebiet.[1] Fredag Aften var et Brev paa 3 Ark til Jomfru C. C., adresseret til Nabopræstegaarden, personligen bleven afleveret paa Postaabneriet. Middagen derefter skulde det være i de rette Hænder, og da jeg havde udbedet mig Svar med Omgaaende,[1] enten det indeholdt Liv eller Død, kunde jeg sikkert vente dette Tirsdag.

Men at jeg Søndag Formiddag var at træffe liggende paa Moen midtimellem Præstegjeldene,[1] kom af at jeg ikke havde kunnet udholde Uvisheden om jeg vilde faae Svar med Omgaaende eller ikke. Selv ikke den Omstændighed, at der neppe fandt det hjerteligste Forhold Sted[2] mellem mig og den gjæstfri og dannede Familie, hun var hos, havde kunnet afholde mig fra at drage afsted tidlig om Morgenen, medens endnu alle Stjerner tindrede.

Jeg arriverede om Middagen. Min Gud! uagtet jeg nok mærkede skjelmske[1] Ansigter baade hos min Elskede og hos Husets Personale — ikke Spor af at noget Brev var ankommet. For at minde om Posten, krammede jeg ud[1] al den nyeste Politik, jeg vidste. Man lader ikke særdeles interesseret[2] deri; jeg siger, det er kun[2] gamle Nyheder, men de seneste skulde det være værd at kjende til, og Posten er vel[2] allerede kommen[2] her til Bygdens Postaabneri.

'Kan saamen gjerne være,' meente Pastoren.

'Maa jeg spørge om hvad Dage den hentes?' spurgte jeg med Hjertet i Halsen.

'Aa, det er saa uvist,' svarede den utaalelige Indifferentist.[1] 'Vejen er ikke saa kort, saa vi søge at faae Bud paa letteste Maade. Vi have saa meget Brug for Folkene.'

'Er det da saa langt did, Hr. Pastor?' sonderede jeg.[1]

'En stiv halv Miil.'

'Min Gud det var ubekvemt. Den Indretning bør forandres. Paa offentlig Bekostning bør Posten punktligen afgives ved alle Embedsmænds Døre.'

'Naa,' bemærkede Pastoren, 'Embedskorrespondencen er ikke af en saa presserende Natur. Den kommer altid tidsnok.'

Jeg fortvivlede. Værten var ikke til at bevæge. Lige forgjæves ymtede jeg om, at de sidste Aviser upaatvivlelig[1] maatte indeholde yderst interessante Theaterkritiker. Jeg leed Kvaler paa min Stol som et Insekt paa Naalen. Men skjøndt det bare var Snak om at Aviser[2] kunde være komne,[2] saa maatte dog Brevet ligge paa Postaabneriet;[2] men at det vilde blive hentet i Dagens Løb var der

ingen Udsigter til, efter hvad jeg havde hørt, og længer end høist
til næste Dags Morgen kunde jeg ikke give mig til at blive i det mig
temmelig fremmede Huus.

Der maatte overordentlige og hurtigen[2] iværksatte Kunster til
forat faae Brevet fat. Men hvilke? Det var derpaa jeg spekulerede[2]
under den meest paafaldende Adspredthed[1] og Forstemthed. Man
spillede paa Fortepiano, man gav Duetter og Terzetter for min
Skyld — Intet hjalp paa den ubehagelige Gjæst, Intet kunde
bringe mig fra at tale om Posten eller fra at see udaf Vinduerne
om Postbudet dog ikke skulde komme. Det begyndte at skumre,
blege Stjerner tittede alt frem hist og her. Jeg tænkte: snart ville de
straale som da du tog ud imorges og en Dag altsaa være forbi.
Det var ikke en Sekund at miste. 'Hr. Pastor,' siger jeg fortvivlet,
'et Ord i Eenrum! Rentud — jeg *maa* have Bud paa Posthuset. De
seneste politiske Efterretninger, som knytte sig til det jeg fortalte,
interessere mig saameget, at jeg vil være Dem[2] meget forbunden,[2] om
jeg med Deres Tilladelse for gode Ord og Betaling kan faae en af
Deres Karle[1] [2] hurtigst[2] afsendt til Posthuset efter Aviserne og hvad
Post, der ellers maatte være kommen her til Huset.'

Jeg var nok bekjendt for[2] at være en lidenskabelig Politiker; men
dette var vel drøit. Havde jeg endda sagt, at jeg ventede en Theater-
kritik, hvori der[2] skulde være Sidehug til[1] mig — det havde dog ladet
sig høre. Men det Utroligste kom frem, slet belagt[1] med nogle[2] Vink
om et Væddemaal om *Capo d'Istria*,[1] der rigtignok[2] forlængst var Død
og udgaaet[2] af Avisspalterne. Imidlertid[2] haabede jeg at det skulde
blive imellem os; men den Skjelm af en Præst raabte høit ind i
Sideværelset, hvor baade min Donna og Husets Damer vare:
'Mo'r! lad Ole komme ind. Herr W.[2] maa endelig have en Expresse
til Posthuset.' Jeg tilgiver dig det, Præst, tenkte jeg, fordi du igjen er
saa snil at glemme, at ingen Avispost kan være kommen. Fnisen
syntes jeg nok at høre i alle Kroge; men jeg kunde intet see[2] for det
velsignede Tusmørke, der bedækkede[2] min Forlegenhed og Rødmen
over min Frækhed, da jeg ligesaagodt som Præsten maatte vide, at
ingen opgaaende Post[1] kunde være kommen.

Præsten havde ladet Ole faae Hest og Slæde og saaledes var han
tilbage før jeg ventede det.

'Ole er alt kommen,' hviskede Præsten.

'Allerede?' raabte jeg rask[2] og ilede ud i Sideværelset uden at
turde trække Døren til, saa alle hørte Tølperens Ord[1] 'Der var nok
ikke noget til Dem, som hører Eidsvoll til, men her er et stort Brev
fra Eidsvoll til Jomfrua, som er her i Besøg hos en Fa'r.'[1]

Her var det man kunde bruge Udtrykket om at synke i Jorden.

Men hvad var der at gjøre? Ordene vare hørte, Brevet i mine Hænder, dets Adresse[2] i næste Værelse. Jeg ønskede jeg havde knækket Nakken da jeg væltede imorges; men jeg maatte derind; selv overrække i Fremmedes Nærværelse mit Frierbrev! Situationen var gyselig. Men handles maatte der.

Jeg vaklede ind i det klart oplyste Værelse. 'Jomfru C.,' stammer jeg; 'istedetfor Noget til mig, har Budet bragt et Brev til Dem.'

'Hvad, til mig?' 'Ja! her seer De! Vær saa god!' Brevet er i hendes Hænder; men ved at bryde det paastedet og ved den Forvirring hun røbede ved at læse de første Ord, viser hun Alle hvilket latterligt Omfang[2] og hvad Natur det var af.[2]

. Dette gik ikke an. Endnu en Grad i Torturen. Halvhøit beder jeg hende i min Kval om at læse Brevet i Eenrum i næste Værelse. Hun gik ind; jeg blev tilbage paa Forundringsstolen.[1] Eet Fruentimmer af de Tilstedeværende havde bestemt oprigtig ondt af mig under den almindelige Taushed, som nu indtraadte, kun afbrudt af Velinpapirets[1] Raslen, hvergang Damen i Sideværelset vendte en Side om; thi hun[2] holdt imidlertid paa at forgive[1] mig med The og alt det Gode der kunde[2] tænkes, og der var ingen forbidt Latter[2] om hendes Læber. Jeg fordrev ogsaa den piinligste Stund i mit Liv med at fortære et umaadeligt Kvantum[2] The, Tvebakker,[1] Syltetøi og Godter,[1] indtil endelig en Bevægelse i Sideværelset forkyndte at Brevet var baade læst og overtænkt.

Jeg ind. Diskussionen fremdeles for aabne Døre. Det venligste Afslag. Vi afbrødes ved at den venlige Vært[2] selv bragte Punsch[2] ind. 'Kom naa,' sagde han leende, 'lad fem være lige!'[1] Jeg drak Skaalen med et Ansigt, hvori der[2] fandtes alle Punschens Ingredienzer undtagen Sukker. Ingen Spiritus kunde være dunkelrødere end mine Kinder, ingen Citron surere end mit Smiil, intet kogt Vand flauere[1] end mine Træk.

Man vilde endelig jeg skulde blevet[2] der Natten over og ikke tage over[2] den lange Mo. Det var mig umuligt. Det var Synd at forhindre dem fra at slippe Latteren løs endnu iaften,[2] tænkte jeg, og tog afsted efter det triste Aftensmaaltid.

Jeg kom først hjem, da Staldkarlen alt stod[2] i Stalddøren med sin Løgt.

'Hvormange er Klokken, Ole?'

'Aa,' sagde han,[2] 'henved Fire, efter Stjernerne at dømme, for saa stod[2] døm[1] just igaar, da han tog ud.'[1]

Tekster fra annen halvdel av det 19. århundre

Texts from the second half of the 19th Century

Bjørnstjerne Bjørnson

I DIKT

SYNNØVES SANG

Nu takk for alt, ifra vi var små
og lekte sammen i skog og lage'.[1]
Jeg tænkte, leken den skulde gå
op i de grånende dage.

Jeg tænkte, leken den skulde gå
ut fra de løvede, lyse birke,[1]
dit frem hvor Solbakkehuse stå,
og til den rødmalte kirke.

Jeg sat og væntet så mangen kvæll
og så dit bort under granehejen;
men skygge gjorde det mørke fjæll,
og du, du fandt ikke vejen.

Jeg sat og væntet og tænkte tit:
når dagen lider, han vejen vover.
Og lyset sluktes og brænte litt,
og dagen kom og gik over.

Det stakkars øjet er blevet vant,
det kan så sent[2] med at vænde synet;
det kjænner slet ingen anden kant,
og brænner sårt under brynet.

De nævner sted, der jeg trøst[2] kan få;
det er i kirken bak Fagerliden;
men bed mig ikke om dit at gå, —
han sitter like ved siden.

— Men godt, så vet jeg dog, hvem det var,
som lagde gårdene mot hværandre,
og vej for synet i skogen skar
og gav det lov til at vandre.

Men godt, så vet jeg dog, hvem det var,
som satte stoler til kirkebor'et,
og gjorde, at de går par om par
fremover like mot koret.

MODERENS SANG

Herre, tag i din stærke hånd
barnet, som leker ved stranden!
Send du din værdige helligånd,
at det kan leke selvannen![1]
Vandet er dypt og bunnen glatt;
Herre, får *han* først i armen fat,
drukner det ikke, men lever,
til du det nåde-rik hæver.

Moderen sitter i tunge savn,
vet ikke, hvor det farer,[1]
ganger for døren,[1] roper dets navn,
hører slet ikke, det svarer.
Tænker som så: Hvor æn det er,
han og du er det altid nær;
Jesus, dets lille broder,
følger det hjæm til moder.

VENEVIL

Hun Venevil hoppet på letten fot[1]
　　　sin kjærest imot.
Han sang, så det hørtes over kirketag:
　　　'God dag! god dag!'
Og alle de små fugler sang lystig med i lag:
　　　'Til Sanktehans
　　　er der latter og dans;
men siden vet jeg lite, om hun flætter sin krans!'

Hun flættet ham én av de blomster blå:
— 'mine øjne små!'
han tok den, han kastet og tok den igjæn:
'Farvel, min ven!'
og jublet, mens han sprængte over akerrenen[2] hen:[1]
'Til Sanktehans
er der latter og dans;
men siden vet jeg lite, om hun flætter sin krans!'

Hun flættet ham én: 'hvis du ej forsmår,[1]
av mit gule hår?'
hun flættet, hun bød ham i ypperlig stund[1]
sin røde munn!
Han tok den, og han fik den, og han rødmede som hun.

Hun flættet en hvit i et liljebånd:
'min højre hånd!'
hun flættet en blodrød i kjærlighed:
'min venstre med.'
Han tok imot dem begge to, men vændte sig derved.

Hun flættet av blomster fra hvær en kant:
'alle dem jeg fant!'
hun sanket,[1][2] hun flættet og gråt dertil:[2]
'tag dem du vil!'
Han tiede og tok dem kun, men flygtede så vill.

Hun flættet en stor uten farvesans:
'min brudekrans!'
Hun flættede, så fingrene bleve blå:
'sæt du den på.'
Men da hun skulde vænde sig, hun ingensteds ham så.

Hun flættede modig, foruten stans,
på sin brudekrans.
Men nu var det langt over Sanktehans,
ingen blomster fan's:[1]
Hun flættet av de blomster, som slet ikke fan's!
'Til Sanktehans
er der latter og dans;
men siden vet jeg lite, om hun flætter sin krans.'

OVER DE HØJE FJÆLLE

Undrer mig på, hvad jeg får at se
    over de høje fjælle?
Øjet møter nok bare sne.
Rundt omkring står det grønne træ,
    vilde så gjærne over; —
tro, når det rejsen vover?

Ørnen løfter med stærke slag
    over de høje fjælle,
ror i den unge, kraftfulle dag,
mætter sit mot i det ville jag,
    sænker sig, hvor den lyster, —
    ser mot de fremmede kyster!

Løvtunge apall,[1] som intet vil
    over de høje fjælle,
sprætter, når somren stunder til,[1]
vænter til næste gang den vil,
    alle dens fugler gynger,
    vet ikke, hvad de synger! —

Den som har længtet i tyve år
    over de høje fjælle, —
den som vet, at han ikke når,
kjænner sig mindre år for år —,
    hører, hvad fuglen synger,
    som du så trøstig gynger.

Sladrende fugl,[1] hvad vilde du her
    over de høje fjælle?
rede du fant visst bedre *der*,
videre syn og højere trær,
    vilde du bare bringe
    længsel, men ingen vinge?

Skal jeg da aldrig, aldrig nå
    over de høje fjælle?
skal denne mur mine tanker slå,
sådan med sne-is og rædsel stå,
    stængende der til det siste, —
    blive min dødningkiste?[2]

Ut vil jeg! ut! — å, så langt, langt, langt
over de høje fjælle!
Her er så knugende,[1] tærende trangt,[1]
og mit mot er så ungt og rankt, —
lad det få stigningen friste,[1]
ikke mot murkanten briste!

Engang, jeg vet, vil det række frem
over de høje fjælle!
Kanske du alt har din dør på klæm?[1]
Herre min Gud! godt er dit hjæm . . .
lad det dog ænnu stænges,
og jeg få lov til at længes!

INGERID SLETTEN

Ingerid Sletten av Sillejord[1]
hadde hverken sølv eller gull,
men en liten hue av farvet ull,
som hun hadde fåt utav mor.

En liten hue av farvet ull,
hadde hverken stas eller fór,
men fattigt minne om far og mor,
der skinte langt mer æn gull.

Hun gjæmte huen i tyve år,
måtte ikke slite den ud!
Jeg bærer den vel engang som brud,
når jeg for alteret går.

Hun gjæmte huen i tredive år,
måtte ikke skjæmme den ud!
Så bærer jeg den så glad som brud,
når jeg for Vor Herre står.

Hun gjæmte huen i fireti år,[2]
hugsede ænnu på sin mor.
'Vesle min hue, for visst jeg tror,
vi aldrig for alteret står.'

Hun ganger for[1] kisten at tage den,
hjærtet var så stort derved;
hun leter frem til dens gamle sted,
da var der ikke tråden igjæn.

TRÆET

Træet stod færdigt med blad og med knop.
'Skal jeg ta dem?' sa frosten og pustede op.
   'Nej kjære, lad dem stå,
   til blomster sitter på!'
bad træet, og skalv ifra rot og til top.[2]

Træet fik blomster, så fuglene sang.
'Skal jeg ta dem?' sa vinden og viftet og svang.
   'Nej kjære, lad dem stå,
   til bæret sitter på!' —
bad træet, i vinden det dirrende hang.

Og træet fik bær under soløjets glød.
'Skal jeg ta dem?' sa jænten så ung og så rød.
   'Ja kjære, du kan ta
   så mange du vil ha!'
sa træet, og grenen det bugnende[1] bød.

TONEN

I skogen smågutten gik dagen lang,
   gik dagen lang;[2]
der hadde han hørt slik en underlig sang,
   underlig sang.

Gutten en fløjte av selje skar,
   av selje skar —
og prøvde, om tonen derinne var,
   derinne var.

Tonen den hvisket[2] og nævnte sig,
   og nævnte sig,
men best som han lydde, den løp sin vej,
   den løp sin vej.

Tit når han sov, den til ham smøg,
   den til ham smøg,
og over hans panne med ælskov strøg,
   med ælskov strøg.

Vilde den fange, og vågnet bratt,
   og vågnet bratt;
men tonen hang fast i den bleke nat,
   den bleke nat.

'Herre min Gud, tag mig derin,
   tag mig derin!
ti tonen har fåt mit hele sinn,[2]
   mit hele sinn.'

Herren han svarte: 'Den er din ven,
   den er din ven,
skjønt aldrig en time du ejer den,
   du ejer den.'

'Alle de andre dog litt forslår,
   dog litt forslår,
mot denne du søker men aldrig når,
   aldrig når.'

JA, VI ÆLSKER DETTE LANDET

Ja, vi ælsker dette landet,
   som det stiger frem,
furet, vejrbitt over vandet,
   med de tusen hjæm, —
ælsker, ælsker det, og tænker
   på vor far og mor
og den saganat, som sænker
   drømme på vor jord.

         [. . .]

Norske mann i hus og hytte,
   takk din store Gud!
Landet vilde han beskytte,
   skjønt det mørkt så ud.

Alt, hvad fædrene har kjæmpet,
mødrene har grætt,
har den Herre stille læmpet,[1]
så vi vant vor ret.

Ja, vi ælsker dette landet,
som det stiger frem,
furet, vejrbitt over vandet,
med de tusen hjæm.
Og som fædres kamp har hævet
det av nød til sejr,
også vi, når det blir krævet,
for dets fred slår lejr.[1]

KJÆRLIGHEDSVISE

Holder du av mig,
holder jeg av dig
alle mine levedage;
sommeren var kort,
græsset blegner[2] bort,
kommer med vor lek tilbage.

Hvad du sa ifjor,
husker jeg i år,
sitter som en fugl i karmen,[1]
kakker på[1] og slår,[1]
synger litt og spår
lykke under solevarmen.

Litli-litli-lu!
Hører du mig nu,
gutten bakved bjørkehejen?
Ordene vil gå, —
mørket faller på,
kanske du kan vise vejen.

Sjo-i, sjo-i, hyss!
sang jeg om en kyss? —
Nej, det gjorde jeg visst ikke.
Hørte du det, du?
kom det ej i hu, —
jeg vil lade avbud skikke.

Å, god nat, god nat!
drømmen har mig fat,
den om dine milde øjne
og de tause ord,
som av kroken fór, —
å, de vare så forfløjne![1]

Nu jeg lukker til.
Er det mer, du vil?
Tonerne tilbake trille, —
lokker mig og ler, —
vilde du mig mer?
Aftnen er så varm og stille.

HAVET

... Havet stunder jeg mot, ja havet,
hvor fjærnt det ruller i ro og højhed.
Med vægt av fjælltunge tåkebanker
det vandrer evig sig selv i møte.
Skjønt himlen daler, og landet kaller,
det har ej hvile, og ej det viger.
I sommernatten, i vinterstormen
det vælter klagende samme længsel.

Mot havet stunder jeg, ja mot havet,
hvor fjærnt det løfter den kolde panne!
Se, værden kaster sin skygge på den
og spejler hviskende ned sin jammer.
Men solen stryker den varm og lysblid
og taler frejdig om livets glæde.
Dog like iskold, tungsindig rolig
den sænker sorgen og sænker trøsten.

Fullmånen suger, orkanen løfter,
men takt glipper, og vandet strømmer.
Lavlandet nedhvirvles, bærg hensmuldrer,
mens jævnt det skyller mot evigheden.

Hvad hen det drager,[1] må vejen vandre;
hvad engang synker, det stiger ikke.
Ej bud der kommer, ej skrik der høres;
dets egen tale kan ingen tyde.

Mot havet er det, langt ut mot havet,
som aldrig kjænner en stunds forsoning!
For alt som sukker, det er forløser,
men drager vid're sin egen gåde.
Føl denne sælsomme pakt med døden,
at *alt* det gir ham — sig selv kun ikke!

Jeg føres, hav, av dit store tungsinn,
og slipper ned mine matte planer
og lader flyve de bange længsler:
din kolde ånde mit bryst skal svale!
Lad døden følge, på bytte lure:
vi skal nok spille en stund om brikken![1]
Jeg sliter timer ifra din rovlyst,
mens frem jeg skjær[1] under vredes-brynet;[1]
du skal kun fylle mit spænte storsejl
med dine susende dødsorkaner,
din bølges rasen mer skyndsomt bære
mit lille fartøj mot stille vande.

Hvad heller[1] ensomt og mørkt ved roret,
forlatt av alle og glæmt av døden,
når fremmed sejl fra det fjærne vifter,
og andre stryker forbi i natten,
at mærke strømningens underdønning
— havhjærtets suk, når det drager ånde —
og bølgens smågang mot bjælkelaget,[1]
— det stille tidsfordriv i dets tungsinn.
Da skyller længslerne langsomt over
i alnaturens havdype smærte,
og nattens, vandets forente kulde
min sjæl utruster for dødens rike.

Så kommer dagen! Og motet springer
i lange buer mot lys og hvælving,
og skibet snøfter og lægger siden
med vellyst ned i den kolde bølge,
og gutten klavrer med sang mot toppen
at rede sejlet,[1] så det kan svulme,
og tanker jager som trætte fugler
om mast og ræer, men får ej fæste . . .
Ja, ja, mot havet! Dit drog jo Vikar![1]

Som han at sejle, og så at synke
i skibets forstavn hos konning Olav![2]
Med kjølen kløve den kolde tanke,
men fange håb av den minste luftning!
Med dødens fingre bakefter roret,
men himlens klarhed utover vejen!

Og så engang i den siste time
at mærke naglerne give efter,
og døden trykke på plankelaget,
så vandets frælsende strøm kan komme!
Da lægges ned i de våte kluter[1] [2]
og fires dit hvor det evig tier,
mens bølgen ruller mit navn mot stranden
i store måneskinsklare nætter!

BERGLJOT

(Harald Hårdrådes saga kap. 45 mot slutten lyder: Da Ejnar Tambarskjelves hustru Bergljot, som sat tilbake i herbærget i byen, spurte mannens og sønnens fall, gik hun straks op i kongsgården, hvor bondehæren var, og ophisset den meget til slag. Men i samme øjeblik rodde kongen ut efter elven. Da sa Bergljot: 'Nu savner vi her min frænde Håkon Ivarson; ikke skulde Ejnars banemann ro ut efter elven, om Håkon stod her på elvebakken.')

BERGLJOT
(I herbærget)

Idag kong Harald
får give tingfred;[1]
ti Ejnar fulgte
fem hundre bønder.

Ejndride, sønnen
slår vakt om huset,
imens den gamle
går in til kongen.

Så minnes Harald
måske, at Ejnar
har tvenne konger[1]
i Norge kåret, —

og giver fred
og forlik på loven;
hans løfte var det,
og folket længes. —

Hvor sanden fyker
ned over vejen,
og støj der stiger! —
Se ut, min sko-svenn![1]

— Kanske blot vinden!
ti her er vejrhårdt;
den åpne fjord
og de lave fjælle.

Jeg minnes byen
ifra min barndom:
hit vinden hisser
de vrede hunder.[1] [2]

— Men støj der tændes
av tusen stemmer?
Og stål den farver[2]
med kamprød flamme.

Ja, det er skjoldgny![1]
Og se hvad sand-gov:[1]
spydbølger hvælve
om Tambarskjelve!

Han er i trængsel! —
Troløse Harald:
likravnen løfter
sig av din tingfred!

Kjør frem med karmen![1]
jeg må til kampen!
nu sitte hjæmme,
det gallt jo livet![2]

(På vejen)

Å, bønder, bærg ham,
slå kreds omkring ham!
Ejndride, værg nu
din gamle fader!

Byg ham en skjoldborg[1]
og giv ham buen;
ti døden pløjer
med Ejnars piler![2]

Og du, Sankt Olav!
å, for din søns skyll!
giv du ham gagn-ord[1]
i Gimles[1] sale![2]

(Nærmere)

Flokken de sprænger . . .
og kjæmper ej længer . . .
i bølger
de følger
hværandre mot elven . . .
Hvad er der vel hændt?
Hvad spår denne skjælven?
har lykken sig vændt?
hvad er det? hvi stanser[1]
nu bøndernes skare? . . .
med nedstukne lanser
to døde de kranser,[1]
og Harald får fare! —
hvad trængsel der er
ved tingstuens port! . . .
stille al hær
vænder sig bort. —
Hvor er Ejndride . . . !
Sorgfulle blikke
flygter til side,
frygter mit møde . . .
så kan jeg vide:
de to ere døde! —

— — Rum! Jeg må se:
ja, det er dem! —
Kunde det ske . . .?
Jo, det er dem!

Fallen er herligste
høvding i Norden;
Norriges[2] beste
bue brusten.

Fallen er Ejnar
Tambarskjelve, —
sønnen ved side,
Ejndride!

Myrdet i mørke
han som var Magnus
mer end fader,[2]
kong Knut den rikes[2]
kårede[1] sønne-råd!

Fallen for snigmord
skytten[1] fra Svolder,
løven som sprang over
Lyrskog-heden![1]

Slagtet i bakhold
bøndernes høvding,
Trøndernes hæder,[1]
Tambarskjelve!

Hvithåret, hædret,
henslængt for hundene, —
sønnen ved side, —
Ejndride!

Op, op bondemænn, han er fallen;
men han som fællte ham, lever!
Kjænner I mig ikke? Bergljot,
datter av Håkon fra Hjørungavåg . . .
nu er jeg Tambarskjelves enke.

Jeg roper på eder, hær-bønder:
min gamle husbond er fallen.
Se, se, her er blod[2] på hans bleke hår,
eders hoveder kommer det over;
ti det bliver koldt uten hævn.

Op, op, hærmænn! Eders høvding er fallen,
eders ære, eders fader, eders børns glæde,
hele dalens eventyr, hele landets hælt, —
her er han fallen, og I skulde ikke hævne?

Myrdet i mørke, i kongens stue,
i tingstuen, lovstuen er han myrdet,
myrdet av lovens første mann, —
å, lyn vil falle[2] fra himlen på landet,
hvis det ikke luttres[1] i hævnens lue!

Skyt langskibe[1] fra land!
Ejnars ni langskibe ligger her,
lad dem bære hævnen til Harald!

Å stod han her, Håkon Ivarson,
stod han her på bakken, min frænde,
da fant Ejnars bane[1] ikke fjorden,
og eder, fejge, slap jeg bede!

Å bønder, hør mig, min husbond er fallen,
mine tankers højsæte[1] i halvhundre år![2]
Væltet er det, og ved dets højre side
vor eneste søn, å, al vor fremtid!
Tomt er det nu innen mine to armer;[2]
kan jeg vel mere få dem op til bøn?
Eller hvorhen skal jeg vænde mig på jorden?
Går jeg bort til fremmede steder,[2]
ak, så savner[2] jeg dem, hvor vi levde sammen.[2]
Men vænder jeg mig *derhen*, —
ak, så savner jeg dem selv!

Odin i Valhal tør jeg ikke finne;
ti ham forlot jeg i min barndom.
Men den nye gud i Gimle . . .?
Han tok jo alt jeg hadde!

Hævn? — Hvem nævner hævn? —
Kan hævnen vække mine døde,
eller dække over mig for kulden?
Finnes i den et tilstængt enkesæte,
eller trøst for en barnløs mor?

Gå med eders hævn, lad mig være!
Læg ham på karmen, ham og sønnen,
kom, vi vil følge dem hjæm!
Den nye gud i Gimle, den frygtelige, som tok alt,
lad ham også ta hævnen; ti den forstår han!
Kjør langsomt! Ti sådan kjørte Ejnar altid;
— og vi kommer tidsnok hjæm.

Hundene vil ikke møte med glade hopp,
men hyle og hænge med halen.
Og gårdens hæster vil spisse øren,
vrinske glade mot stalldøren
og vænte Ejndrides stemme.

Men den lyder ikke længer, —
ej heller Ejnars skridt i svalen,[1]
som ropte in, at nu måtte[2] alle rejse sig,
for nu kom høvdingen!

De store stuer vil jeg stænge;
folkene vil jeg sende bort;
kvæg og hæster vil jeg sælge,
flytte ut og leve ene.
Kjør langsomt!
ti vi kommer tidsnok hjæm.

I EN TUNG STUND

Vær glad, når faren vejer
hvær ævne, som du ejer:
Jo større sak,
des tyngre tak,
men desto større sejer!
Går støtterne i stykker,

og vennerne får nykker,
    så sker det blot,
    fordi du godt
kan gå foruten krykker. —
    Enhvær,
    Gud sætter ene,
han selv er mere nær.

DET FØRSTE MØTE

Det første møtes sødme,
det er som sang i skogen,
det er som sang på vågen
i solens siste rødme, —
det er som horn i uren,
de tonende sekunder
hvori vi med naturen
forenes i et under.

SALME II

Ære det evige forår i livet,
    som alting har skapt!
Opstandelsens morgen det minste er givet,
    kun former går tapt.
    Slægt føder slægt,
stigende ævne den når;
    art føder art
i millioner av år.
Værdner forgår og opstår.

Intet så smått, at ej finnes et mindre
    ingen kan se.
Intet så stort, at ej finnes et større
    bortenfor det.
    Krypet i jord —
bærge[1] jo bygge det kan.
    Støvet som fór,
eller det skyllende sand,
riker har grunnlagt en gang.

Uændeligt alt, hvor det minste og største
   løper i ett.
Ingen skal skue det siste, — det første
   ingen har set.
      Ordenens lov
bærer det alt i sin favn;
      frugt og behov
føder hværandre; vort savn[1]
møter det samledes gavn.[1]

Evigheds avkom og frø er vi alle.
      Tankerne har
røtter i slægternes morgen; de falle,
      spørsmål med svar,
         fulle av sæd
over den evige grunn;
         derfor dig glæd,
at du en svindende stund[1]
økede evigheds arv!

Bland dig i livsfryden, du som fik være
      blomst i dens vår,
nyde et døgn til det eviges ære
      i menneske-kår,
         yde din skjærv[1]
in til det eviges hværv,[1]
         liden og svag
ånde et eneste drag
in av den evige dag!

GAMLE HELTBERG

Jeg gik på en liten, meget pyntelig skole,[1]
på hvilken både kirke og stat kunde stole.
Den drejet helt stillfærdig i statsmaskineriet,
og skjønt det kunde høres på hjule-knirkeriet,[2]
at sjælden den smurtes av åndens talg,[1]
så var på hine kanter[1] slet intet valg:
vi *måtte* gå der, til vi blev store.

Jeg gik der også, — men læste Snorre.
De samme bøker, de selvsamme tanker,
som lærer efter lærer på kongelig forordning
i slægt efter slægt selvforsagende[2] banker,
— og som ene skaffer lærer og lærling befordring![1]

De samme bøker, de selvsamme tanker,
som flinkt[1] av hele slægten gjør en eneste én,
en fortræffelig fyr som kan stå på ett ben
og ramse[1] hele leksen, som der slippes et anker! —
De samme bøker, de selvsamme tanker
ifra Hammerfest til Mandal (sådan staten os sanker[1]
i en alting og os alle konserverende forening,
hvori alle pene folk får én eneste mening!)
de samme bøker, de selvsamme tanker
kamraterne[2] åt; men jeg tapte appetitten,
og så længe vraket kosten, til jeg ændelig blev kvitt'en[1]—
og hoppede glad over hjæmmets skranker.
Hvad mig møtte på rejsen, hvad jeg tænkte derved,
hvad der steg i min sjæl på det ny-valgte sted,
hvor fremtiden lå, det jeg lader i stikken,[1] [2]
for at skildre hvad jeg så på 'studenterfabrikken'.[1]

Skjæggede karer, tit over de tredve,
og slukne[1] på hvært ord, sat og trællede bredved[1]
rejicerede kropper[1] på sytten år,
sorgløst-galne som spurv i vår.
— Kraftige sjømænn, hvis eventyr-sinn
først drev dem av skolen i livet in,
men siden på togt med den attrå[1] som kræver
lys av tænkningens sol over alt det som lever.
— Fallerede kjøbmænn,[1] som stillt bak sin disk
hadde bejlet til boken, intil kreditor blev bisk[1]
og tok varerne fra dem. *Nu* de læste 'på lån'.[1]
— Og ved siden dovne 'løver'[1] . . . det var næsten som hån!
— Unge, ærgjærrige, 'norske' jurister,
'præler',[1] og prækelystne seminarister,[1]
kadetter med en skade på arm eller ben,
bønder hvem en skole fallt altfor sen:
her de alle vilde bryte i latinen frem
på et år eller to, — imot otte eller fem.

De hang over bænken, de lå imot væggen,
i hvært vindu sat to, én just prøvede æggen
på sin ny-slepne kniv i den blækkede pult.[1]
Gjænnem tvenne[1] åpne rum var det dørgende fullt.[1]

Lang og slåpen,[1] i halvdrøm, på ytterste linje,
sat og grunnet for sig selv *Aasmund Olavsen Vinje*,
anspænt[1] og mager, med farve som gipsen,
bak et kulsort, umådeligt skjæg *Henrik Ibsen.*
Jeg, den yngste i laget, gik og væntet på parti,[1]
intil nyt kuld[1] kom in, over jul *Jonas Lie.*
Men 'mannen',[1] vor chef på det logiske tog,
'gamle Heltberg', av alle var den snurrigste dog!
I pelsstøvler stod han, i hundeskinns-trøje
(for astma og gigt måtte kjæmpen sig bøje).
Ej skinnhuen skjulte hans panne, den høje,
hans klassiske drag[1] og hans mægtige øje.
Nu krumbøjd av smærte, nu rejst av sin kraft,
han kastet stærke tanker, og han kastet ikke lavt.
Kom lidelsen værre, og den møttes igjæn
av viljen i hans sjæl, og han tok som et spænn[1]
mot anfall på anfall, hans øjne de flammet,
og hænderne sig knyttet, som om dypt han sig skammet,
fordi han hadde veget en stund! — ja, da var vi
dypt slagne av det store i kampen, da bar vi
et billed hjæm fra hin stormende tid,
da der suste gjænnem landet en *Wergelands-rid!*[1]
Der var kræfter i de karle som var med på hin leg,
der var vilje i de kræfter som den gang steg.
Nu stod han der tilbake, forglæmt i sin krog.
Men gjærningen han gjorde, den var en høvdings dog!
Han sprængte tankens ævne av skole-puggets bånd,[2]
hans lære var selvstændig, hans førelse[1] var ånd;
personligheden typisk: på trøndersk-hedemarkisk
skar han fore[1] i teksten; og uinskrænkt-monarkisk
var hans vrede over fejl; — men den la sig straks,
eller steg til en patos av ædleste slags,
der ofte slog tilbake i selv-ironi
og en styrtregn av vid, hvorved ingen sat fri. —
Sådan styrte han sin 'horde', sådan gik det gjænnem landet,
det klassisk-skjønne land, som vi hærjede forbannet!
Hvor forfærdet stod ej *Cicero, Virgil* og *Sallust*

på Forum og i templet, hvor vi rasede just!
Det var atter Goter-toget over Romas ruiner,
det var *Tors* og *Odins* ånd over Jupiters latiner,
— og den gamles 'grammatik' var en dværge-smedet[1] hammer:
når han svang den, da det gnistrede og kastede flammer.
Den flok av 'barbarer' han førte avsted,
hadde just ej til mål hist at sætte sig ned.
Den blev *ikke* 'latiner', ej fremmed tænknings træl;
men den blev under toget alt mere sig selv.
Han invant sproget for os som en tænkningens lov,
og de der fulgte med ham, fik et lifligt behov
til utfærd og til under, fik erobringens mod
til angrep på hvad hittil som uløseligt stod.
Hvær tolkning han gav, blev som syn vi hadde havt;
det øket vor unge personlige kraft.
Hans billeder blev nedslag i vor skapende lyst,
hans vid blev styrkeprøve, den gav ævne til dyst,
hans vælde var os vægten, hvorpå småt fra stort[2] blev skilt,
hans patos bud fra kampen, som luede stillt.

Den syke kjæmpe længtes så tit fra sin krok;
han vilde, om æn kun i én eneste bok,
vise *litt* av hvad han var, vise fler det æn os:
han lå hvær dag for utfærd, — men kastet aldrig loss.[1]

Hans 'grammatik' kom ikke! Han selv gik derhen
hvor tænkningens lov ikke skrives med pen.
Hans 'grammatik' kom ikke! Men det liv den har havt,
behøvde ikke sværtens forlængende kraft.
Det levde i hans sjæl, så mægtigt, så varmt,
at tusen bøkers liv imot det bliver armt.
Det lever i den skare selvstændige mænn,
hvis tænkning han gav marg, og som finnes igjæn
i tingets sal,[1] for skranken,[1] i skolen, i kirken,
i digtning og i kunst, og hvis levnet og virken
har vist sig at have en stærkere art,
fra *Heltberg* deres ungdom gav højere fart.

II PROSA

Fra ARNE

Første kapitel

Der var et dypt stup nede mellem² to fjæll; gjænnem det stup² drog en vand-rik elv tungt hen over sten og ur.¹ Højt var der op på begge sider og bratt, hvorfor den ene siden stod bar; men tæt inunder og så nær elven, at den vår og høst la væte henover, stod en frisk skog i klynge, så op og foran sig og kunde hverken komme hit eller dit.

'Æn om vi klædde² fjællet?' sa eneren¹ en dag til den utenlandske ek, som den stod nærmere æn alle de andre. Eken så ned for at komme efter,¹ hvem det var som talte; dernæst så den op igjæn og taug.¹ Elven arbejdet så tungt at den gik hvit; nordenvinden hadde lagt in gjænnem stupet og skrek i kløfterne; det bare fjæll hang tungt utover og frøs . . . 'Æn om vi klædde fjællet?' sa eneren til furuen på den andre siden. 'Skulde det være nogen, så måtte det vel bli vi,' sa furuen; den tok sig i skjægget og så bortover til bjørken:² 'Hvad mener du?' Men bjørken gløttet varsomt op imot fjællet; så tungt lå det ut over henne, at hun syntes ikke at kunne dra pusten engang. 'Lad os klæ det i Guds navn,' sa bjørken, og ikke flere æn disse tre var, så tok de på sig at klæ fjællet. Eneren gik først.

Da de kom et stykke på vej, møtte de lynget. Eneren vilde likesom gå det forbi. 'Nej, tag lynget med,' sa furuen. Og lynget i vej. Snart begyndte det at rape¹ for eneren; 'bit i mig,' sa lynget. Eneren så gjorde, og hvor der var bare en liten rift, der stak lynget en finger in, og hvor det først hadde fåt en finger, fik eneren hele hånden. De krabbet og krøp, furuen tungt efter, bjørken med. 'Det er sælebot i det,'¹ sa bjørken.

Men fjællet begyndte at tænke over, hvad det vel kunde være for noget småtteri, som fór og klorte opover det. Og da det hadde tænkt på dette et par hundre år, sendte det en liten bæk nedover for at se efter. Det var ænda i vårflommen, og bækken smatt så længe, til den traf på lynget. 'Kjære, kjære lyng, kan du ikke slippe mig frem; jeg er så liten,' sa bækken. Lynget hadde meget travelt, lettet bare på sig og arbejdet vidre. Bækken inunder og frem. 'Kjære, kjære ener, kan du ikke slippe mig frem; jeg er så liten.' Eneren så hvasst² på den; men når lynget hadde sluppet den frem, så kunde vel altids den også. Bækken opunder og frem, og kom nu dit hvor furuen stod og pustet i bakken. 'Kjære, kjære furu, kan du ikke slippe mig frem; jeg er så liten, jeg,' sa bækken, kysset furuen på foten og gjorde sig så inderlig lækker. Furuen blev skamfull ved det og slap den frem. Men bjørken lettet på sig, før bækken spurte. 'Hi, hi, hi,' sa bækken og vokste. 'Ha, ha, ha,' sa bækken og vokste. 'Ho, ho, ho!' sa bækken, kastet lynget og eneren og furuen og bjørken fremstupes[1] og på rygg op og ned i de store bakkene. Fjællet sat i mange hundre år og tænkte på, om det ikke hadde dradd på smilet den dagen.

Det var tydelig nok: fjællet vilde ikke bli klædd. Lynget ærgret sig, så det blev grønt igjæn, og da tok det avsted. 'Friskt mot!' sa lynget.

Eneren hadde rejst sig på huk for at se på lynget; og så længe sat den på huk, til den sat opret. Den klødde sig i håret, satte i vej og bet så fast, at den syntes fjællet måtte kjænne det. 'Vil ikke du ha mig, så vil jeg ha dig.' Furuen krøket litt på tærne, for at kjænne om de var hele, lettet så på den ene foten, som var hel, så på den andre, som også var hel, og så på dem begge to. Den undersøkte først hvor den hadde gåt, dernæst hvor den hadde ligget, og ændelig hvor den skulde gå. Tok den så på[1] at rusle i vej, og lot som den aldrig hadde fallt. Bjørken hadde sølet sig så styggt til, rejste sig nå og pyntet sig. Og nå bar det avsted, fortere æn fort, opover og til siderne, i solskin og regnvejr. 'Nej, nej, men hvad er nå dette også for noget,' sa fjællet, når sommersolen stod på — det glittret i duggen, fuglerne sang, skogmusen pep, haren hoppet, og røskatten gjæmte sig og skrek.

Så var dagen kommet, at[2] lynget fik det ene øje op over fjællkanten. 'Å nej, å nej, å nej!' sa lynget — og væk var det. 'Nej, kjære, hvad er det lynget ser?' sa eneren og kom så vidt at den fik kike op.[2] 'Å nej, å nej!' skrek den, og var væk. 'Hvad er det som går av[2] eneren idag?' sa furuen og tok lange skridt i solheten. Snart kunde den løfte sig på tærne og gløtte op. 'Å — nej!' Grener og pigger blev stående ænde tilvejrs av forundring. Den kavet avsted,[1] kom op, og væk var den. 'Men hvad er det alle de andre ser, og ikke jeg,' sa bjørken, lettet skjørterne vel op og trippet efter. Der fik den hele hodet op med én gang. 'Å-å! — nej står det ikke en stor skog både av furu og lyng og ener og bjørk oppe på marken og vænter os,' sa bjørken, og bladene skalv i solskinnet, så duggen trillet. 'Ja, slik er det at nå frem,' sa eneren.

Fra EN GLAD GUT

Fra *Annet kapitel*

Samme sommer begynte moren at lære Øjvind at læse. Bøkerne hadde han ejd længe, og tænkt meget på, hvorledes det skulde gå til, når også *de* begynte at tale. Nu blev bokstaverne til dyr, fugler og alt som til var; men snart begynte de at gå sammen, to og to; a stod og hvilte under et træ som het b, så kom c og gjorde det samme; men da de kom sammen tre og fire, var det som de blev sint på hværandre; det vilde ikke rigtig gå. Og jo længer utover han kom, des mere glæmte han hvad de var; længst husket han på a, som han holdt mest av; den var et lite sort lam og var venner med alle; men snart glæmte han også a, boken hadde intet eventyr, men bare lekser.

Så var det en dag moren kom in og sa til ham: 'Imorgen begynner skolen igjæn, da skal du følge med mig op til gården'.[1] Øjvind hadde hørt, at skolen var et sted hvor mange gutter lekte, og det hadde han ingenting imot. Han var meget fornøjd; på gården hadde han været ofte, men ikke når der var skole, og han gik fortere æn moren op over bakkerne, for han længtet. De kom op til livørestuen,[1] et forfærdeligt surr som av kværnhuset hjæmme stod imot dem,og han spurte moren hvad det var. 'Det er ungdommen som læser,' svarte hun, og han blev meget glad, for sådan var det også[2] han hadde læst, før han kjænte bokstaver. Da han kom in, sat der så mange barn omkring et bord, at der ikke var flere i kirken; andre sat på sine nistekopper[1] langs væggene, nogen stod i små hoper omkring en tabel;[1] skolemesteren, en gammel gråhåret mann, sat på en krakk nede ved gruen[1] og stoppet sin pipe. Da Øjvind og moren trådte in, så de alle op, og kværnhus-surret stanste, som når de dæmmet[1] i rænnen. Alle så på de intrædende, moren hilste på skolemesteren, som hilste igjæn.

'Her kommer jeg med en liten gut som vil lære at læse,' sa moren. 'Hvad heter den kroppen?' sa skolemesteren og grov ned i skinnposen efter tobak.

'Øjvind,' sa moren; 'han kan bokstaverne, og han kan lægge sammen.' — 'Å nej da,' sa skolemesteren, 'kom hit, du hvithode!' Øjvind gik bort til ham, skolemesteren fik ham på fanget og tok huen av ham. 'For en vakker liten gut!' sa han og strøk ham i håret; Øjvind så ham op i øjnene og lo. 'Er det mig du ler av?' han rynket brynene. 'Ja, det er det,' svarte Øjvind og skratlo.[1] Da lo også skolemesteren, moren lo, barnene skjønte også de fik lov at le, og så lo de allesammen.

Dermed var Øjvind kommet in på skolen.

Da han skulde sætte sig, vilde de alle gjøre plass for ham; han så sig også længe om; de hvisket og pekte; han drejde sig omkring til alle kanter med huen[1] i hånden og boken under armen. 'Nå, hvad blir det så til?' spurte skolemesteren, han holdt atter på med pipen. Idet gutten skal vænde sig mot skolemesteren, ser han tæt ved siden av ham, nede ved gruestenen[1] og sittende på en liten rødmalt løp,[1] Marit med de mange navn; hun hadde gjæmt ansigtet bak begge hænder, og sat og gløttet hen til ham. 'Her vil jeg sitte'! sa Øjvind raskt, tok en løp og satte sig ved siden. Nu løftet hun litt den armen som vændte imot ham, og så på ham under albuen; straks dækket også han sit ansigt med begge hænder og så på henne under albuen. Slik sat de og skapte sig til,[1] intil hun lo, så lo også han, ungerne hadde set det og lo med; da skar det in med frygtelig stærk stemme, men som blev mildere efter hvært: 'Stille, trollunger, småtøj,[1] spilleværk[1]— stille, og vær snille mot mig, sukkergriser!' — Det var skolemesteren, som hadde for vis[1] at fyke op, men bli god igjæn, før han ændte. Straks blev der roligt i skolen, intil pepper- kværnene atter begynte at gå, de læste højt, hvær i sin bok, de fineste diskanter spilte op, de grovere stemmer trommet højere og højere for at ha overvægten, en og annen hauket[1] inimellem; Øjvind hadde i sine levedager ikke hat slik moro.

'Er det slik her bestandig?' hvisket han til Marit. 'Ja, slik er det,' sa hun.

Senere hen måtte de frem til skolemesteren og læse; en liten gut blev dernæst sat til at læse med dem, og så fik de slippe og skulde gå hen og sitte rolige igjæn.

'Nu har også jeg fåt en bukk,' sa hun. — 'Har du?' — 'Ja, men den er ikke så vakker som din.' — 'Hvorfor er du ikke oftere kommet op på bærget?' — 'Bestefar er rædd jeg skal falle utfor.' — 'Men det er ikke så højt.' — 'Bestefar vil ikke allikevel.'

'Mor kan så mange viser,' sa han. — 'Du kan tro bestefar også kan.' — 'Ja, men han kan ikke om det som mor kan.' — 'Bestefar kan om en dans, han. — Vil du høre den?' — 'Ja gjærne det.' — 'Men så må du komme længer hit, så ikke skolemesteren skal mærke det.' Han flyttet sig, og så sa hun frem en liten visestump fire-fem ganger, så gutten lærte den, og det var det første han lærte på skolen.

> 'Dans!' ropte felen
> og skrattet[1] på strængen,
> så lensmannsdrengen
> spratt op og sa: 'Ho!'
> 'Stans!' ropte Ola,[2]
> slog bena unda'n,[1]
> så lensmann datt av'n,[1]
> og jænterne lo.

'Hopp!' sa'n Erik
og spænte i taket,
så bjælkerne braket,
og væggene skrek.
'Stop!' sa'n Elling
og tok ham i kragen
og holdt ham mot dagen;
'du er nok for vek!'

'Hej!' sa'n Rasmus,
tok Randi om live':
'skynd dig at give
den kyssen du ved.'
'Nej!' svarte Randi;
en ør'fik[1] hun ga' ham
og slet sig ifra ham:
'der har du besked!'

'Op, unger!' ropte skolemesteren, 'idag er det første dagen,
så skal I[1] slippe tidlig; men først må vi holde bøn og synge.' Der
blev et leven i skolen, de hoppet av bænkene, sprang over gulvet,
snakket i munnen på hværandre. 'Stille fantunger,[1] skarvunger,[1]
fjorunger![1] — stille, og gå vakkert over gulvet, småbarn!' sa skole-
mesteren, og de gik nu rolig hen og stilte sig op, hvorefter skole-
mesteren gik foran dem og holdt en kort bøn. Siden sang de;
skolemesteren begynte med stærk bas, alle barnene stod med foldede
hænder og sang med, Øjvind stod nederst ved døren sammen med
Marit og så på; de foldet også hænderne, men de kunde ikke synge.
Dette var den første dag i skolen.

Fra *Tredje kapitel*

Bård het skolemesteren. Han hadde en bror som het Anders. De
holdt meget av hinanden, lot sig begge hværve,[1] levde i byen sam-
men, var med i krigen, hvor de begge blev korporaler, og stod ved
samme kompani. Da de efter krigen kom hjæm igjæn, syntes alle
det var to staute karer. Så dør deres far, han hadde meget løst gods,
som var vanskeligt at dele, og derfor sa de til hværandre, at de
heller ikke denne gang skulde bli uforlikte,[1] men sætte godset til
auktion, så hvær kunde kjøpe det han vilde og dele utbyttet. Som
sagt, så gjort. Men faren hadde ejd et stort gull-ur som var vidt
spurt;[1] for det var det eneste gull-ur folk på den kant hadde set, og
da dette gull-uret blev ropt op, vilde mange rike mænn ha det, intil

også begge brødrene begynte at by; da gav de andre sig. Nå væntet Bård av Anders, at han skulde la *ham* få uret, og Anders væntet det samme av Bård; de bød hvær sin gang for at prøve hværandre, og så over til hværandre mens de bød. Da uret var kommet op i 20 daler, syntes Bård det ikke var vakkert gjort av broren, og bød på til det blev henimot 30;[2] da Anders ænnu[2] ikke gav sig, syntes Bård, at Anders ikke husket hvor god han ofte hadde været mot ham, ænvidere at han var den ældste, og uret kom op over 30 daler. Anders fulgte ænnu med. Da satte Bård uret op i 40 daler med én gang og så ikke længer på broren; det var meget stillt i auktionsværelset, bare lensmannen nævnte[2] rolig prisen. Anders tænkte, der han stod, at hadde Bård råd til at gi 40 daler, hadde også han, og unte ikke Bård ham uret, fik han vel ta det; han bød over. Dette syntes Bård var den største skam som nogensinne hadde hændt ham; han bød 50 daler og ganske sagte. Meget folk stod rundt omkring, og Anders tænkte, at således kunde ikke broren håne ham i alles påhør; han bød over. Da lo Bård; '100 daler og mit brorskap på kjøpet,' sa han, vændte sig og gik ut av stuen. En stund efter kom en ut til ham, mens han holdt på at sadle den hæst han nyss før hadde kjøpt. 'Uret er dit,' sa mannen; 'Anders gav sig.' I samme stund Bård fik høre dette, fór der som en anger igjænnem ham, han tænkte på broren og ikke på uret. Sadlen var lagt på, men han stanste med hånden på hæsteryggen, uviss om han skulde ride. Da kom meget folk ut, Anders imellem dem, og så snart han fik se broren stå borte ved den sadlede hæsten, visste han ikke hvad Bård nætop nå stod og tænkte på, men skrek over til ham: 'Takk for uret, Bård! Du skal ikke se den dag bror din skal trå' dig i hælene!' 'Heller ikke den dag da jeg ri'r til gårds igjæn!' svarte Bård blek i ansigtet, og svingte sig til hæst. Det hus som de hadde bodd i sammen med faren, betrådte ingen av dem mere.

Kort tid efter giftet Anders sig in på en husmannsplass,[1] men bad ikke Bård til bryllups; Bård var heller ikke i kirken. Første år Anders var gift, blev den eneste ku han ejde funnet død bortom den nordre stuevægg, hvor den gik i tjor,[1] og ingen skjønte hvad den var død av. Flere uhæld la sig til,[1] og det gik tilagters med ham; men værst blev det da hans låve midt på vinteren brænte, og alt som i den var; ingen visste hvorledes ilden var opkommet. 'Dette har en gjort som vil mig vondt,' sa Anders, og han gråt den natten. Han blev en fattig mann, og mistet hugen til at arbejde.

Da stod Bård næste kvæll i hans stue. Anders lå på sengen, da han trådte in, men sprang op. 'Hvad vil du her?' spurte han,[2] men tidde og blev stående ufravændt[2] seende på broren. Bård væntet litt,

før han svarte: 'Jeg vil by dig hjælp, Anders; du har det ikke godt.'
— 'Jeg har det som du har unt mig det,[1] Bård! Gå eller jeg vet ikke
om jeg kan styre mig.'[1] — 'Du tar feil, Anders; jeg angrer...' —
'Gå, Bård, eller Gud nåde[1] både dig og mig!' Bård gik også et par
skridt tilbake; med dirrende røst spurte han: 'Vil du ha uret,
skal du få det!' — 'Gå, Bård!' skrek den andre, og Bård gik.

Men med Bård var det gåt slik til. Så snart han hørte at broren
led vondt, tødde hjærtet op,[1] men stoltheden holdt igjen. Han fik
trang til at søke kirken, og der tok han gode forsætter,[1] men han
orket dem ikke frem.[1] Ofte kom han så langt at han kunde se huset,
men snart kom en ut av døren, snart var der en fremmed, snart
stod Anders ute og hog ved, så det var altid noget i vejen. Men
en søndag ut på vinteren var han atter i kirken, og da var Anders
der også. Bård så ham; han var blet blek og mager, de samme klær
bar han som før, da de var sammen, men nå var de gamle og lap-
pede. Under prækenen så han op på præsten, og Bård syntes han
var god og blid, husket deres barneår, og hvilken god gut han var.
Bård selv gik til alters den dagen, og han gjorde sin Gud det høj-
tidelige løfte, at han skulde forlike sig med sin bror, det måtte
komme hvad det vilde. Dette forsæt gik igjænnem hans sjæl, i det
samme han drak vinen, og da han rejste sig, vilde han gå like bort
til broren og sætte sig hos ham; men det sat nogen i vejen, og broren
så ikke op. Efter prækenen var det også noget i vejen; det var for
mange folk, konen gik ved siden av ham, og henne kjænte han
ikke; han tænkte det var best at gå hjæm til ham selv og tale
alvorlig med ham. Da kvællen kom, gjorde han det. Han gik like
bort til stuedøren og lyttet; men da hørte han sit navn nævne;
det var konen. 'Han gik til alters idag,' sa hun; 'han tænkte visst
på dig.' 'Nej, han tænkte ikke på mig,' sa Anders; 'jeg kjænner ham,
han tænker bare på sig selv.'

Det blev længe ikke sagt noget; Bård svettet, der han stod, skjønt
det var en kald kvæll. Konen derinne arbejdet med en gryte, det
knittret og brakte på gruen, et lite spædbarn gråt engang imellem,
og Anders vugget. Da sa hun disse par ord: 'Jeg tror dere begge tæn-
ker på hværandre, uten at ville være ved det.'[1] 'Lad os tale om
noget annet,' svarte Anders. En stund efter rejste han sig, vilde gå
mot døren. Bård måtte gjæmme sig i vedskjulet; netop dit kom også
Anders for at ta et fange ved. Bård stod i kroken og så ham tydelig;
han hadde lagt av sine dårlige kirkeklær, og gik i den uniform
han hadde ført med hjæm fra krigen, maken til Bårds, og som de
hadde lovet hværandre aldrig at røre, men la gå i arv. Anders's
var nu lappet og utslitt, hans stærke, velvoksne krop lå som i en

bunt[2] av filler, og på samme tid hørte Bård gull-uret tikke i sin egen lomme. Anders gik dit hvor risveden[1] lå; istedenfor straks at bøje sig ned og læsse på sig, stanset han, hældte sig bakover mot en vedstabel og så ut mot himlen, som var tindrende klar med stjærner. Da drog han et suk og sa: 'Ja — ja — ja; Herregud, Herregud!'

Så længe Bård levet, hørte han siden dette. Han vilde gå frem imot ham, men i det samme kræmtet broren, og mere skulde det ikke til for at stanse ham. Anders tok sit fange ved, og han strøk så tæt forbi Bård med det, at kvistene slog hans ansigt, så det sved.

Ænda i vel ti minutter stod han stille på den samme flæk, og uvisst var det når han var gåt, dersom han ikke ovenpå den stærke rørelse var blit tat av en sådan frysning, at han skalv al igjænnem. Da gik han ut; han erkjænte åpent for sig selv, at han var for fejg til at gå in, derfor hadde han nå lagt en annen plan. Av en aske-kop, som stod i den krok han nætop forlot, tok han nogen kul-stykker[1] til sig, fant sig en tyrispik,[1] gik op på låven, lukket efter sig og slog ild. Da han hadde fåt spiken tændt, lyste han op efter den nabb[1] som Anders hængte sin lygt på, når han om morgenen tidlig kom for at træske. Bård tok sit gull-ur op og hængte det fra sig på nabben, slukket så sin spik og gik, og da var han så lettet at han sprang bortover sneen som en unggut.[2]

Dagen efter hørte han at låven var nedbrændt samme nat. Vænte-lig hadde gnister fallt ned av den spik som skulde lyse ham, mens han hængte fra sig uret.

Dette overvældet ham således, at han den dag blev sittende som syk, tok sin salmebok frem, og sang så folk i huset trodde det var noget galt på færde. Men om kvællen gik han ut; det var stærkt måneskin, han gik til brorens plass, grov efter i brandtomten — og fant ganske rigtig en liten sammensmæltet gullklump; det var uret.

Med den i næven var det han gik in til broren hin kvæll, bad om fred og vilde forklare sig. Men før er fortalt, hvordan det gik.

En liten jænte hadde set ham grave i brandtomten, nogen gutter som gik til dans, hadde foregående søndagskvæll set ham gå ned-over mot plassen, folkene i huset forklarte om hvor underlig han var mandag, og da nå alle visste at han og broren var bittre uvenner, blev det mældt,[1] og forhør optat.

Ingen kunde få noget på ham,[1] men mistanken sat på ham; han kunde nå mindre æn nogensinne nærme sig broren.

Anders hadde tænkt på Bård, da låven brænte, men ikke sagt det. Da han kvællen efter så ham blek og forunderlig komme in i sin stue, tænkte han straks: nå har angeren slåt ham, men for

9

en så forfærdelig gjærning mot sin bror får han ingen tilgivelse. Siden hørte han om, at folk hadde set ham gå ned til husene samme kvæll det brænte, og skjønt intet blev oplyst ved forhøret, trodde han urokkelig at Bård var gjærningsmannen. De møtte hinannen[2] ved forhøret, Bård i sine gode klær, Anders i sine lappede; Bård så bort til ham da han steg in, og øjnene bad, så Anders kjænte det langt in. Han vil ikke jeg skal sige noget, tænkte Anders, og da han blev spurt om han trodde broren til hin gjærning,[1] sa han højt og bestemt: 'Nej'.

Men Anders slog sig stærkt på drikken fra den dag, og det gik snart[2] meget dårlig med ham. Ænda dårligere var det med Bård, skjønt han ikke drak; han var ikke til at kjænne igjæn.

Så kommer sent en kvæll en fattig kone in i det lille kammer Bård bodde til leje i, og bad ham følge med ut litt. Han kjænte henne, det var brorens kone. Bård forstod straks hvad ærend hun førte, blev likblek, klædde på sig[2] og fulgte uten at tale et ord. Det lyste ut fra Anders's vindu med svakt skin, det blinket og lukket sig,[1] og de gik efter lyset; for der førte ingen sti over sneen. Da Bård atter stod i svalen,[1] slog som en underlig lugt imot ham, som han fik vondt av. De gik in. Et lite barn sat borti gruen og spiste kul, var svart over hele ansigtet, men så op og lo med hvite tænner; det var brorens barn. Men borti sengen med alle slags klær over sig lå Anders, avmagret, med klar, høj panne, og så på broren. Bård skalv i knærne, han satte sig ved sengfoten[2] og brast i stærk gråt. Den syke så på ham uavbrudt og tidde. Ændelig bad han konen gå ut, men Bård vinket hun skulde bli, — og nå begynte disse to brødre at tale sammen. De forklarte sig like fra den dag de bød på uret, og ut igjænnem til den dag de møttes her. Bård sluttet med at ta gullklumpen frem, som han altid bar hos sig, og åbenbaret blev det nå mellem brødrene, at de i alle disse år ikke én dag hadde kjent sig lykkelige.

Anders sa ikke stort, for han var ikke god til det; men ved sengen blev Bård sittende, så længe Anders var syk. 'Nå er jeg fullkommen frisk,' sa Anders en morgen han vågnet; 'nå, bror min, skal vi leve længe sammen, og aldrig gå fra hværandre, likesom i gamle dager.' Men den dagen døde han.

Bård tok konen og barnet til sig, og de hadde det godt fra den tid. Men hvad brødrene hadde samtalt om ved sengen, det sprængte ut gjænnem væggene og natten, blev kjænt for alt folket i bygden, og Bård blev den mest agtede mann imellem dem. Alle hilste på ham, som en der har hat[2] stor sorg og atter funnet glæde, eller som på en der meget længe har været borte.[2] Bård blev stærk av sinn ved denne venlighed omkring sig, han blev Gud hengiven — og vilde bestille noget, sa han, og så gav den gamle korporal sig til at være skolemester. Hvad han inprentet barnene både først og sist, var kjærlighed, og selv øvet han den, så ungerne holdt av ham som av en lekekamerat og far på én gang.

Størst intryk gjorde det på barnene når skolemesteren før sangen somme tider holdt en liten tale til dem og i det minste én gang hvær uke læste op nogen vers for dem, som handlet om at ælske sin næste. Når han læste det første av disse vers, skalv han i røsten, enda han vel nå hadde læst det i 20–30 år; det lød:

> Ælsk din næste, du kristensjæl,
> træd ham ikke med jærnskodd hæl,
> ligger han æn i støvet![1][2]
> Alt som lever, er underlagt
> kjærlighedens gjenskaper-magt,
> bliver den bare prøvet.

III. DRAMA

Fra OVER ÆVNE I

ANNEN HANDLING

En liten tømmerstue. I bakgrunnen dør ut til en sval. Døren er vidåpen. Vi ser ut i et trangt landskap, stængt av et nakent fjæll. På højre vægg en dør. På venstre et stort vindu. Over døren mot svalen er et gyldent krucifiks inne i et kors hvorover der er glaslåk. Helt ner mot venstre en sofa og foran den et bord hvorpå nogen bøker. Stoler langs væggene.

FØRSTE MØTE

(Elias kommer in fra svalen, snar, urolig. Han går i lærredsbukser og på lette sko. Oventil alene skjorten; ikke hue på. Han stanser, går til vinduet og lytter. Vi hører tydelig, men fjærnt en salme, sunget av en mannsrøst. Elias er stærkt grepet. Rakel kommer sagte in ad døren til højre, som var lukket, og som hun lukker efter sig. Hennes bror gjør tegn at hun skal stanse og høre.)

ELIAS   Rakel, kom hit.

RAKEL   Hvad er det?

ELIAS   Hør!

RAKEL   Far synger!

ELIAS   Ja.

RAKEL   La mig åpne døren til mor!

ELIAS   Har mor vågnet?

RAKEL   Nej; men far hører hun nok. — Hun smilte.

ELIAS   Å, Rakel!

RAKEL   Å, Elias! — Ikke si mer; jeg tåler det ikke!

ELIAS   Se ut, Rakel! — Kan der være noget skjønnere? Hundreder stille, å, så stille omkring kirken; og han i bøn og sang derinne uten anelse om at der er nogen derute. Han snakket om en bønnekjæde.[1] Alle disse omkring kirken — det er bønnekjæde, det!

RAKEL   Ja.

ELIAS   Men nu lukker vi døren til mor. Jeg har så meget at fortælle dig. Jeg har været her to ganger og lett efter dig.

RAKEL   Det har kommet ænnu flere folk i eftermiddag.

ELIAS   Og det kommer stadig flere — milevidt fra! Se dernede ved stranden — ?

RAKEL   Markerne sortner av folk! Hvad er det?

ELIAS   Det er missjonsskibet som er kommet.

RAKEL   Missjonsskibet?

ELIAS   Visste du ikke at til det store missjonsmøte[2] i byen har alle østenfra lejet et dampskib? Nu ligger det her på fjorden.

RAKEL   Her?

ELIAS   Ja.

RAKEL   Hvorfor kommer det hit?

ELIAS   Til miraklet! Da pastor Krøjer kom ombord ved anløpsstedet[1] ute ved havet — og fortalte hvad som var foregåt her, og at far ænnu var inne i kirken alene og bad —

RAKEL   Nu forstår jeg!

ELIAS   — Så vilde ikke en eneste én videre, men hit! Bispen og præsterne bad dem holde ord og avtale; men hit vilde de! Så måtte de gi efter.[1]

RAKEL   Præsterne også?

ELIAS   Bispen og præsterne også — naturligvis!

RAKEL   De kommer da vel ikke in hit? — Elias, du skulde være litt ordentlig klædd.

ELIAS   Jeg tåler ikke klær. De brænner mig. Og så har jeg en trang[1] ... ja, som til at gå gjænnem luften. Og stundom synes jeg at jeg måtte kunne det.

RAKEL   Men, Elias — ?

ELIAS   Der er han! Der går han!

RAKEL   Hvem?

ELIAS   Den syke. De bar ham hit i morges på en båre[1] og nu går han; der ser du ham!

RAKEL   Ja.

ELIAS   Det var idag da far første gang sang. Ingen hadde væntet det; vi skar i at gråte[1] allesammen. Da rejste den syke sig av sig selv. Vi la ikke mærke til det før han gik iblant os. — Mor vil også rejse sig, Rakel! Jeg ser det for mine øjne!

RAKEL   Rejse sig vil hun. Jeg venter det fra tid til annen;[1] men jeg skjælver for det. — Du ser på mig, Elias?

ELIAS   Ja — for undertiden, når du snakker, synes jeg det går på vers.[1] Også når de andre snakker.

RAKEL   Men, Elias — ?

ELIAS   Men så igjæn — som nu — hører jeg bare lyden; ikke meningen. For jeg hører samtidig noget — noget som *ikke* siges.

RAKEL   Som *ikke* siges?

ELIAS   Oftest, at far roper; — roper på mig ved navn. Han har tænkt noget, da han gav mig det navnet. Det toner[1] og anklager — og med hans røst. — Elias, Elias, uavladelig;[1] jeg jages! Og jeg kjænner en trang til at styrte mig i den største fare. Jeg er sikker på at komme uskadd fra det.

RAKEL   Elias!

ELIAS   Ja bli ikke rædd Rakel! Her er jo ingen.

RAKEL   Kom og sæt dig med mig inne hos mor! Det er fred inne hos mor.

ELIAS   Jeg kan ikke. — Rakel, svar mig for Gud — prøv din siste, fineste tvil[1] og svar mig: *er* det miraklet det vi her har oplevd?

RAKEL   Å, Elias — hvorfor bestandig dette?

ELIAS   Men er det da ikke forfærdeligt, at de to eneste som kanske ænnu tviler, det er hans egne barn? — Å jeg skulde gi mit liv for at være trygg.

RAKEL   Elias, ikke mere! Jeg ber dig!

ELIAS   Men — si mig bare hvad *du* tror! Dette med skredet,[1]

Rakel? Det er for stort til at være et tilfælde.[1] Ikke sant? Og mors søvn! Straks han ringte. Søvn, så længe *han* ber? — Er da ikke dette et mirakel? Hvorfor er da ikke også det annet et mirakel?

RAKEL   Jeg tror næsten det er, Elias.

ELIAS   Gjør du?

RAKEL   Men jeg er like rædd det for det!

ELIAS   Rædd det? Men da kan du ikke tro det er miraklet?

RAKEL   Jo.

ELIAS   For det *kan* da ikke bare være hans magnetiske lægekraft?[1] Eller magten av hans personlighed? Nej, det er noget mere! Er det miraklet? Føler du dig sikker?

RAKEL   Jeg vet ikke Elias. Det er for at ha fred for det jeg sitter i ly[1] inne hos mor. Mors ærlighed likesom fyller hele rummet og døver[1] slike spørsmål. — Nu gjæller det noget annet, Elias!

ELIAS   Noget annet!

RAKEL   Efter dette! Hvad vil komme efter dette — når hun har rejst sig? For dermed er det ikke slut. Tilsist[1] —

ELIAS   Tilsist — ?

RAKEL   Tilsist gjæller det deres liv!

ELIAS   Rakel — Rakel!

RAKEL   Mor har ikke længer krefter til at stå imot. Og han vil gå på — nætop nu!

ELIAS   Med hvad?

RAKEL   Med dette — hvad det nu er!

ELIAS   Men sæt det er miraklet, Rakel? Hvorfor da være rædd?

RAKEL   Jeg kan ikke overse følgerne[1] for far og mor — for os alle-sammen. — Du forstår mig slet ikke?

ELIAS   Nej.

RAKEL   Nej! Mig er det ganske det samme hvad det er; men det sprænger os. Det dræper os tilsist!

ELIAS   Miraklet?

RAKEL   Ja. Det er ingen velsignelse! Det er en forfærdelse! . . . Elias!

ELIAS   Hvad er det Rakel?

RAKEL   Der står en mann like utenfor vinduet og stirrer in. En besynderlig mann, så blek.

ELIAS — I en frakk som er knappet helt igjen — ?

RAKEL Ja. — Nå står han jo i stuen også!

ELIAS I stuen? — Her! (*En ukjænt mann kommer i det samme i svalen fra venstre, går over tærskelen, står stille og ser sig om.*)

ANNET MØTE

DEN UKJÆNTE Tillater De — ?

ELIAS Hvem er De?

DEN UKJÆNTE Kan ikke det være det samme! —

ELIAS Jeg har set Dem her siden igår.

DEN UKJÆNTE Ja. Jeg kom over fjællene hit.

ELIAS Over fjællene?

DEN UKJÆNTE Jeg stod deroppe og så skredet gå.

ELIAS Virkelig!

DEN UKJÆNTE Og hørte klokkeklangen. Og jeg så idag den syke, som rejste sig, da Deres far sang . . . Og nu spør jeg: er det derinne Deres mor sover?

ELIAS Ja. Det er det.

DEN UKJÆNTE Men om hun rejser sig . . . så går hun hit in? Så går hun mot kirken, hvor han er — ? Ikke sant? Så kommer hun hit in?

ELIAS Ja, når De siger det — ?

DEN UKJÆNTE Og da spør jeg Dem — ber jeg Dem — : får jeg være her? — Vænte her? Se det? Jeg har ønsket det så bræn-nende.[1] Og jeg kan ikke længer stå imot. — Jeg skal ikke gå in, før jeg kjænner mig drevet til[1] at gå in. Får jeg lov?

ELIAS Ja.

DEN UKJÆNTE Takk! — Jeg skal sige Dem: denne dag bestemmer over mit liv. (*Han går ut til højre i svalen.*)

TREDJE MØTE

ELIAS Denne dag bestemmer over mit liv! (*Krøjer fra venstre i svalen.*) Pastor Krøjer —

KRØJER Ja?

ELIAS Så du ham der?

KRØJER   Ja. Hvem var det?

ELIAS   Kjænner du ham ikke?

KRØJER   Nej.

ELIAS   En mærkelig mann. — Denne dag bestemmer over mitt liv! Å Gud! Der fik jeg ordet!

KRØJER   Det væntet jeg, Elias, at denne dag vilde bli en stor dag for dig. Ja, hvem kan også motstå hvad som foregår her? Bare disse hundreder i bøn omkring kirken, og han der innenfor, som ikke vet om det! Jeg kan ikke tænke mig noget skjønnere!

ELIAS   Ikke sant! — Å, jeg vil kaste angst og tvil;[1] — denne dag skal få bestemme! Å, for et ord! — Jeg har kjæmpet og lidt uten at nå frem. Og så *gives* det mig! La os snakke sammen Krøjer.

KRØJER   Nej — ikke nu. Jeg har et ærend til dig.

ELIAS   Til mig? — Fra hvem?

KRØJER   Jeg kom tilbake hit med missjonsskibet.

ELIAS   Jeg vet det.

KRØJER   Og nu spør biskopen og præsterne om de kan få låne denne stuen en times tid?

ELIAS   Låne stuen. Til hvad?

KRØJER   De har trang til at overlægge[1] hvordan de skal forholde sig til det som sker her. Og vi vet ikke om noget annet sted hvor vi kan være alene. — Ja, bli nu ikke så forundret. Vi professjonister, vi av prækehåndværket,[1] vi må jo prøve at se forstandigere på slikt æn andre, kan du skjønne.

ELIAS   Men det vil gi mislyd[1] her inne?

KRØJER   Som kan bli til harmoni! Ja hvem motstår miraklet?

ELIAS   Du har ret! Men her inne? Mellem far og mor? Og om far begynner at synge igjæn? Så kan vi jo ikke åpne til mor?

KRØJER   Hvad tror du din mor eller din far vilde ha svaret dem?

ELIAS   Du har ret! De skal få stuen. — Men la *mig* slippe for dette — ?

KRØJER   Jeg skal ordne det. Vi skal ikke forstyrre din mor.

ELIAS   Jeg vil gå og finne samfølelse hos dem derute. *De* vænter tryggt på at noget stort[2] skal ske idag; — og vænter visst ikke længe forgjæves.

KRØJER   Det skal vi be om, Elias?

ELIAS   Ja. Ja nu vil jeg prøve!

FJÆRDE MØTE

KRØJER   Ja. Værs'go! Bare kom inn.

BLANK   De, som er kjænt i dette hus, Krøjer, kunde De ikke skäffe[2] os någet at spi-ise?[1]

BISPEN   Vi gjør en komisk figur — jeg vet det. Men saken er vi var forfærdelig sjøsyke.

FALK   Ak ja, vi beholdt ingenting.[1]

BISPEN   Og da vi så ændelig fik smult vand,[1] og man skulde begynne at koke og steke til os . . .

BREJ   Så kom miräklet!

JENSEN   Jeg er så *frygtelig* sulten. Jeg formelig har mat-hallucina-tioner.[1] Det er især ryper jeg ser.

FALK   Ryper![2]

JENSEN   Jeg lugter dem også; stekte ryper!

BLANK   Ryper?

FLERE   Får vi ryper?

KRØJER   Desværre. Jeg var både i kjøkken og spiskammer;[1] men det var tomt.

FALK   Jeg er så *frygtelig* sulten.

BREJ   Ja, i lige måte.

BISPEN   Ja, la os ikke gjøre en altfor komisk figur heller, mine venner. Vi får finne os i det uungåelige. La os ta fat. Behag at sætte Dem.

BREJ   Uden at få hverken våt eller tørt.

BISPEN   I al korthed og i al stillhed — for vi vet at dette hus er bolig for en syk —, vi må komme overens om[1] hvorledes vi skal forholde os.[1] Jeg har altid været av den mening at foran enhvær slik bevægelse skulde præsten — som regel — holde sig neutral. Hverken samtykke[1] eller motsige, intil bevægelsen lægger sig så vidt at den kan bedømmes. Hvad er det, Krøjer?

KRØJER   Tillat mig i al ærbødighet: enten tror vi på miraklet og handler derefter; eller vi tror ikke på det og handler *der*efter.

BISPEN   Hm? — Der er et tredje, min unge ven.

PRÆSTERNE   Der er et tredje! Sändelig, der er et tredje!

BISPEN   Jo ældre og mere erfaren man blir, jo vanskeligere danner man sig en overbevisning — især om overnaturlige ting. — Og her vilde næppe tid og forhold engang tillate en undersøkelse. Og sæt om vi kom til forskjellige meninger? — Jeg ser at gamle Blank ønsker ordet.

BLANK   Hvis jeg här forstât Deres højærværdighed rigtig, så här vi ikke først og fremst at avgjøre om her foreligger et miräkel eller ej. Derom Goud, vor fäder![1]

BISPEN   Derom han! Det er ordet! Takk, du gamle!

BLANK   Jeg me-iner ät miräklerne ounderligger[1] en li-ige stoor lovmæssighed som älle ändre ting, skjønt vi ikke se-ir loven. Jeg me-iner det sämme som professor Pe-itersen me-iner.

FALK   I den bok han aldrig utgir?

BLANK   Men som hän om nogen år vil udgi-ive. — Men er det så — hväd vægt ligger der så på det enkelte miräkel — om vi kortsynede kän se-i det eller ej? — Tror me-inigheden ät den se-ir det, så lover vi Goud[1] med den.

BISPEN   Altså vil du dog at vi skal godkjænne[2] miraklet?

BLANK   Hverken godkjænne eller ikke 'godkjænne. Vi lover Goud sämmen med me-inigheden.

BISPEN   Nej, gamle Blank, dette kommer vi ikke fra med lovsange.

FALK   Nej, dette kommer vi ikke fra med lovsange.

BISPEN   Hr. Jensen har ordet.

JENSEN   Ja. Alt avhænger i dette tilfælde av det faktum vi står foran. Er det et mirakel — kanskje flere — ; eller er det *ikke* mirakel?

KRØJER   Ja, nætop.

JENSEN   Hvært enkelt mirakel måtte undersøkes. Men så måtte vi ha et teknisk skjøn,[1] et godt medicinsk skjøn og muligens tingsvidner[1] optat ved en god jurist. Når dette er skjed — da først kan præsterne med trygghed avgi sit åndelige skjøn. Med 'åndelig' mener jeg ikke det vi ser og hører her av lægprædikanter[1] [2] og andre såkallte begejstrede eller beåndede.[1] Jeg mener her som ellers en jævn, tæt, tør sanhed — 'åndfullere', jo jævnere, tættere, tørrere den er.

FALK   Enig.

JENSEN   Kanske det så skulde vise sig at slik som her kommer aldrig miraklet. Aldrig! — Det kommer ikke væntet og hyldet av hundreder, kanske tusen, i ophisselse[1] og nyssgjærrighed. Ja, nyssgjærrighed! Nej, miraklet kommer ægte, jævnt, stille, tørt til de ægte, jævne, stille, tørre.

FALK Dette er virkelig som talt ut av mit hjærte.

KRØJER Hvis Falk tillater, må jeg få gjøre en bemerkning.

FALK Værsågod.

KRØJER Siden jeg kom hit op som præst, har jeg set, at de tørreste mennesker ofte er de som lettest blir bytte for overtro.

BLANK Dette er gänske min erfäring!

KRØJER Ja, av mistænksomhed nægter de ofte det som er åbenbart for alles øjne.[1] Men så overfalles de likesom bakfra av en uforklarlig frygt og bestemmes derved av ting som er rent usynlige for os andre. — Jeg har tænkt mig at det overnaturlige er i den grad blet arvelig trang i menneskene, at motstår vi det på den ene måten —

BLANK — så kommer det på den ännen!

FALK Ja, undskyld mig, enten det nu kommer fra de tørre eller fra de saftige, så må jeg rigtig spørge om det er meningen, at vi nu skal opgi hvad vi har vunnet av klarhed og orden innen kirken, og igjæn begynne at sværme[1] som præsteviede *natugler*?

BLANK Ser De på mig?

BISPEN Hyssssss! Vi må huske på den syke derinne!

FALK Mirakel-længselen er en utvækst[1] på troen av samme slags som lægmannsvæsenet[1] på forkynnelsen[1] — en uorden, en sygdom, egentlig en atavisme,[1] et *opgulp*.[1]

BISPEN Hyssssss!

FALK Det mirakel som ikke er godkjænt av præsterne, ja så at sige ansat og insat[1] av den øverste kirkestyrelse under h. m. kongens præsidium,[1] det er for mig en løsgjænger, en landstryker,[1] en *inbruddstyv*. Ja, det kan være bra at være naiv, Krøjer. Også jeg har været naiv. Men når man som præst i en stor by skal være bedrøvet med de bedrøvede[1] over graven kl. 1 — så glad med den glade bryllupsskare[2] kl. 3 — og så kanske ved en fattigs dødsseng kl. 4 — og så i middag på slottet kl. 5 —, ja så lærer man i sandhet den menneskelige skrøpelighed[1] at kjænne. Så lærer man: ikke at forlade sig på[1] personen, men des mere på institutionerne. — Der hvor miraklet viser sig, går al institution under[1] i følelsernes oprør![1] — Ja, jeg var engang i et dameselskap hvor der var bare jeg og så omtrent tyve damer. En av disse damer fik krampe,[1] og straks én til, og så ännu én til, og i alt seks. Da tok jeg og slog vand på — først på disse seks, én efter én, slig (*gjør det efter med hånden*); men så på flere av de andre også; ja for der er smitte[1] i slikt.

BISPEN Hyssssss! Hyssssss!

FALK Dette tror jeg er sundt. Slå vand på!

KRØJER Tak, Falk. Vi kjænner jo Falk og vet at han er en god mann — tross sin underlige måte. Og jeg tror at hvis han så den gamle præsteenken her — så vilde *han* være den siste til at slå vand på henne — skjønt hun går om iblant os som det levende mirakel og smitter alle ved sin tro. Det samme gjælder den unge pike, Ågot Florvågen, som plejer[1] den gamle. Det mirakel som vakte henne,[1] det så jeg selv, og mange med mig. For *vore* øjne, for *vore* hænder var hun død og kold. Og han bad over henne og rejste henne!

BISPEN De så det selv?

KRØJER Dere skal tro en manns vidnesbyrd![1] Vi er fattige, uten under[1] — uten mot til at be om underet — og skal late som vi kan forsmå det,[1] eller som vi har det og er rike! — Jeg kjænner enhvær av dere så godt, at våget dere — ja, var dere aldeles trygge på, at her fik dere se et mirakel så stort at det opfylte Bibelens udødelige vilkår:[1] '*alle som så det, trodde*' — å, så skrøpelig enhvær av dere ellers kan være, dere blev som barn, dere gav dere ganske hen,[1] dere offret alle de dager dere har igjæn, til at forkynne det! — Ja, jeg tør gjøre disse tilståelser på deres vegne, brødre, fordi jeg står innenfor åndsringen[1] — den om hvilket det gjælder: enten innenfor eller utenfor! Er en innenfor, da faller alle fattigdommens påfund[1] av sig selv, og vi tør tilstå sanheden! — Hvad er der igjæn av kristendommen, hvis kirken nu har tapt underet?

ELIAS (*kommer utenfra*) Unskyll! — Det er en her som ønsker at se min mor. Det er den gamle præsteenken.

PRÆSTERNE Den gamle præsteenken. La henne komme. Vi trækker os til siden.

PRÆSTEENKEN Slip mig nu! — Nu vil jeg være alene. — Alene. — For her hvor Herren har været — her er hellig grunn. — Her er hellig grunn. — Her er jeg ansigt til ansigt. — Og da er det best at være alene. Å, hun er hvit. — Skinnende hvit. — Jeg kunde tænke mig det. — Skinnende hvit. — Og sover som et barn. — Nu har jeg set det. — Slikt lyser op. — Å hvor det lyser op! — Hun var skinnende hvit, skinnende hvit.

KRØJER Dere snakket ikke til henne?

BISPEN Nej.

KRØJER Der er et solstreif[1] over alles ansigter. — Jeg skal sige

hvorfor; — de mennesker underet har strålet på, gir gjænskin.[1] —
Å, la os snakke om dette!

JENSEN   Får jeg komme med et spørsmål, Krøjer? — — Holder
De ikke omvændelsen for[1] et mirakel?

KRØJER   Det vi kaller omvændelsens mirakel, kan eftergåes[1]
psykologisk, skrit for skrit; altså er det ikke noget mirakel.

FALK   Det særegne ved kristendommen er ikke miraklet; men
troen på opstandelsen.[1]

KRØJER   Som *alle* de store religioner har? Som alle mennesker
med religiøs følelse har?

FALK   Men uten barneforholdet.[1]

KRØJER   Det er sandt, uden det.

FALK   Og derfor uten den store hengivelse[1] også.

KRØJER   Nej, der er det ikke længer sandt! Martyrernes korsgang,[1]
kom den først til jorden med kristendommen? Den grænseløse
lykke at leve og dø for det man ælsker, — har vi lært den af
kristendommen? Nej, den var på jorden *før* kristendommen; den
er her på jorden ved siden af kristendommen den dag idag, i alle
tænkelige former.

BISPEN   Hvad mener De da med kristendom?

KRØJER   For mig er kristendommen uændelig mere æn en moral-
forskrift. For mig er den uændelig mere æn ævnen til hengivelse.
Ja, enten er kristendommen et liv i Gud *ut over* værden[1] og alle dens
forskrifter;[1] eller den er ikke. Enten er kristendommen mere æn
hengivelse til hvilken som helst idé, nemlig en ny værden, et
under; eller den er ikke. — Der var så meget . . . jeg skulde sige;
. . . men . . . jeg kan ikke.

BISPEN   Straks De kom ombord idag, kjære Krøjer, så så jeg at
De var overanstrængt[1] og syk. Men det blir jo alle som følger
præsten Sang?

DEN UKJÆNTE   Kan jeg få ordet?

BISPEN   Bratt, er det dig?

ANDRE   Pastor Bratt?

ATTER ANDRE   Er *det* Bratt?

BISPEN   Du var ikke med *os*? Hvordan er du kommet hit?

BRATT   Over fjællene.

BISPEN   Over fjællene? — Det er altså ikke til missjonsmøtet du vil?

BRATT   Nej, det er til miraklet jeg vil. — Og så kom jeg igår, nættop som skredet gik. Jeg stod på fjællet et stykke ifra og så. Og jeg hørte klokkeklangen. — Og har været her siden. — Og har i denne formiddag set en syk mann bli båret til kirken, men under præstens salmesang derinnefra rejse sig, takke Gud og gå. Kan jeg få ordet?

BISPEN   Naturligvis.

BRATT   For jeg er en mann i nød,[1] som kommer og ber om hjælp, brødre!

BISPEN   Tal, kjære Bratt.

BRATT   Jeg siger til mig selv: *her* står jeg ændelig foran miraklet. Og i næste øjeblik: ja, *er* det virkelig miraklet? — For det er ikke første sted jeg har søkt til for at få se det. Jeg har vændt skuffet tilbake fra alle de store mirakelstedene i Europa. Her, det er sant, er troen større og enfoldigere;[1] denne mann er stor. Det har tat mig med overnaturlig magt det jeg her har set. Og i næste øjeblik tvilen! Se, dette er min forbandelse![1] Jeg har pådrat mig den ved i syv år som præst at love den troende miraklet. Love ham det, fordi det stod skrevet — skjønt jeg selv tvilte; fordi jeg aldrig hadde set en troende få det! I syv år har jeg forkynt[1] det jeg ikke trodde på. — I syv år har jeg bedt brænnende: Hvor er den mirakelmagt du har lovet dine troende?

BISPEN   Å, du taler ut, du! Det har du altid gjort.

BRATT   I bindende ord, det ene stærkere æn det andre, har han sagt at den troende har denne magt. Ja, magt til at gjøre større ting æn Menneskets Søn[1] har gjort. — Hvor er den så blet av? — Efter atten hundre års grænseløse tros-arbejde ænnu ingen så troende at han kan rejse et mirakel[1] iblant os? Ænnu ikke Guds eget løfte inløst? Alle de troendes længsel kan ænnu ikke frembringe ett individ som har denne magt som gjør alle til troende som ser det? For dette Bibelens vilkår, det må til! Den siger gjæntagende: 'alle de som så det, trodde'. — Og tusener efter tusener faller fra; for skjønt det er lovet, skjer det ikke. — En mann med nutidens viden, en oplyst kvinne av vore dager lar sig ikke nøje med det som en mann eller kvinne før i tiden uten videre trodde. Deres hengivelse er så meget dypere og inderligere[1] at den er vanskeligere at vinne. — Derfor: sæt in det tilsvarende![1] Eller du får den aldrig.

PRÆSTERNE   Er ikke dette at gå for langt?

BRATT   Religionen er ikke længer menneskenes eneste ideal. Men skal den være deres højeste, så vis det! Vis dem underet!

PRÆSTERNE   Nej, nå går han for . . .

FALK   Der står et sted et vredens ord[1] om den slægt som ikke tror, uten at den ser tegn.

BRATT   Og vet De hvad slægten svarer? — 'Vi ber bare om de tegn Gud selv har lovet — lovet den som tror! Eller har dere ænnu ikke en eneste troende iblant dere? — Hvad er det så dere vil os?' — Ja, det svarer slægten. — Men gi den samme slægt et mirakel — et som tvilens skarpeste instrumenter ikke kan sønder-lemme[1] — et hvorom det kan siges: 'alle som så det, trodde' — da kan dere komme til at opleve, at det er ikke tros-ævnen som mangler; det er miraklet. — Forkynnelsen behøver ikke at anspore[1] lettroenheden. Troens aner[1] er de fleste og de stærkeste selv i den skarpsindigste tviler![1] Er det nogen som kjænner det civiliserte menneske og ikke vet det? Er det nogen præst som ikke har erfaret at i almindelighed er faren nætop den motsatte: i mangel av det ægte faller de i tro på det uægte.

FLERE   Ja, dette er sant.

BRATT   Hvis et mirakel viste sig blant os — et så stort at 'alle som så det, trodde' — ? Først kom millionerne stormende til — de som lever i nød og længsel — de skuffede, de undertrykte, de lidende, de som vil ha retfærdighed. — Fik de høre at Gudsriket i ordets gamle betydning var kommet til jorden igjæn . . . det kunde være hvor det var — i gråt, i jubel, ja, om de fleste av dem skulde vite sig i fare for at dø på vejen — heller dø på den vej æn at leve på nogen annen! — Men de blev ikke alene. — Alle vil ha visshed og fred over værdens største spørsmål. Alle længter efter mere æn de vet, efter at tro. Men skaf dem pantet![1] — Pantet på at forkynnelsen er sann! Det er det jeg søker! For det er lovet! — Å, Gud, min Gud! Jeg står her foran min siste prøve.[1]

BISPEN   Bratt, Bratt!

BRATT   Foran min *siste* prøve. For kampen overgår mine kræfter. Jeg tar avsked som præst — avsked fra kirken, avsked fra troen — hvis, hvis, hvis — !

BISPEN   Min kjære søn! Du må ikke —

BRATT   Nej, tal ikke til mig! — Jeg ber! — Nej, hjælp mig med at bønfalle![1] For er miraklet ikke her, så kan det ikke være! Denne mann er jo mere æn andre mænn. En slik tro som hans har ingen set. Og en slik tro på hans tro har heller ingen set.

ALLE   Det er sant!

124 BJØRNSTJERNE BJØRNSON

BRATT Der er ikke tal på de mirakler de tror han har gjort. Nættop fordi de var så mange, trodde jeg ikke på dem. Men kanske burde jeg ha tænkt omvændt? At her er det som er ment med 'tro'? Troens tilværelse[1] *er* underet! Hans kjærlighed og tro burde ha ydmyget mig. Jeg anklager mig selv[1] og ber ham inderlig om forladelse i mit hjærte! Tænk, opleve noget så stort at 'alle som så det, trodde'! — Det skulde *vi* få være vidne til — du, du, jeg? Det er for meget; det kan ikke være muligt! . . . . Men er det muligt — da er den største nåde[1] git os — å, så skrøpelige, så lite troende, så ukjærlige som vi er —

ALLE — Ja, ja . . . . . !

BRATT Da må vi uværdige være kallet![1]

BLANK Å, for en lykke.

BRATT Og ser jeg ut i den stængte, nakne fjordbygd her under måkeskriket og tænker: Gudsriket begynte i en yppig[1] egn ved alfarvejen[1] i sollandene — hvilket vidnesbyrd, om det blev tat op igjæn i hele sin storhed her i en avsides fattig bygd mot den evige is . . . da synes jeg at alt går sammen,[1] og at miraklet *må* komme! Hans tro må kunne nå det! Hans tro er den største på jorden! Og troen kan! Den kan! Kunde den ikke . . . da var det hele umuligt. Da var det annet heller ikke sant. Da var der i alt dette noget grænseløst . . . ? — Noget over ævne[1] . . . ?

FEMTE MØTE

RAKEL Elias! Elias! (*Derpå kaster hun sig bakover og vilde være fallt, hvis ikke Krøjer hadde tat imot henne. Hun brister i gråt, men rejser sig straks forfærdet, peker in*).

KRØJER Hvad er det?

RAKEL Mor har rejst sig. Se, se. Men hun er ikke længer alene! Se da, se! Elias, mor, mor!

ELIAS Har hun rejst sig?

RAKEL Ja.

ELIAS Og går?

RAKEL Ja, men hun . . . hun er ikke længer alene.

ELIAS Dette må høres!

RAKEL Ikke in til far!

ELIAS Nej, men op i klokketårnet, ringe det ut til hele værden!

RAKEL Men du har ingen stige? Der er jo ingen stige!

KRØJER Hyss!

BISPEN Hør! (*Alle hører fra kirken:*)
Halleluja, halleluja!
Halleluja, halleluja!

ALLE Han vet det! Han vet det! Han vet det!

RAKEL Mor kommer.

ALLE PRÆSTERNE
Halleluja, halleluja!
Halleluja, halleluja!
Halleluja, halleluja!
Halleluja, halleluja!

(*Da faller kirkeklokken og alt folket in med. Der er slik jublende styrke at det høres som sang tusener. Og det stiger, fordi folket fra lundene iler til. Det er en stund som om disse 'halleluja' løfter huset. — Sang blir synlig i døren; aftensolen står på hans åsyn. Alle rejser sig, alle viger. Han rækker begge armer ut mot Klara, som står midt i rummet. Hun rækker sine ut igjæn; han går frem og omslutter henne. Sangen bruser om dem. Stuen er full av folk; svalen likeså; de står over hværandre; nogen står i vinduet. Da glir hun langsomt ned ad hans skulder. Sangen stanser; alene kirkeklokken går. Hun gjør en anstrængelse for at samle sig og rejse sig. Den lykkes halvt, idet hun løfter hodet og ser på ham.*)

KLARA Du skinnet . . . da du kom . . . min ælskede! (*Hennes hode synker atter, armene faller, hele kroppen gir efter.*)

SANG Klara! (*står og holder henne, idet han lægger hånden på hennes hjærte; bøjer sig over henne, forundret. Ser op mot det høje, idet han barnlig siger:*) Men dette var ikke meningen — ? (*Han bøjer det ene knæ og lægger hennes hode på det; undersøker; lægger henne varsomt ner og rejser sig, idet han ser op igjæn:*) Men dette var ikke meningen — ? Eller — ? . . . . . Eller — ? (*Han tar sig til hjærtet; faller. Rakel har stått forstenet og set på. Nu gir hun et stort skrik og faller på knæ foran forældrene.*)

RAKEL Far!

KRØJER Hvad mente han — med det 'Eller' — ?

BRATT Jeg vet ikke bestemt. — Men han døde av det.

RAKEL Døde? — Det er umuligt!

10

Fra GEOGRAFI OG KJÆRLIGHED

FØRSTE HANDLING

Et stort rum; dets vinduer vænder ut til venstre. På den motsatte væg er dør in til professor Tygesens arbejdsrum. I bakgrunnen er midtpartiet åpent ut til en bred gang. Svære portièrer på begge sider. Midt i gangen fører en trap, belagt med tykt tæppe, op til annet stokværk. Under trappen dør til kjælderen. Gangen og trappen utstyrt som et museum. Det samme er tildels værelset herinne. Gjænstandene skriver sig fra de forskjelligste folkeslag. På begge sider av døren står to bord, belagt med opslåtte bøker og en mængde papirstrimler, ordnet i små pakker, hvær med en sten over. Fremme til højre en sofa, foran den et bord med fruentimmersaker på. På den andre siden et staffeli, på det et portræt i naturlig størrelse. Stoler, et stort spejl o.s.v., alt stilfullt.

FØRSTE MØTE

Døren til gangen står åpen, og derfra høres latter. Fru Karen Tygesen og fru Birgit Rømer er derute.

KAREN   Jeg kjænte dig ikke straks.

BIRGIT   Og jeg dig — å, før jeg så dig!

KAREN   Ha, ha, ha!

BIRGIT   Ja, på den latter kjænte jeg dig! Den er ganske som for 17 år siden.

KAREN   Og du visste vi bodde her?

BIRGIT   Ja, jeg hadde kjænt dig på den latter, om det var i Australien! — Ja, dere har jo været der også?

KAREN   Ja, hvor har vi ikke været? — Ha, ha, ha!

BIRGIT   Ha, ha, ha, jeg må le med dig. Gud, hvor dette er morsomt. Nej, hvor du har holdt dig godt, Karen!

KAREN   Æn du da? Du er jo næsten en ung pike!

BIRGIT   Å, den sender jeg tilbake![1]

KAREN   Jeg visste du snart vilde komme!

BIRGIT   Ja, du visste jeg hadde arvet vor gamle slægtsgård.

KAREN   'Hæsteskoen'! Vor ungdoms drøm!

BIRGIT   Gud, ja.

KAREN   Jeg er derute minst én gang i uken.

BIRGIT   I 'Hæsteskoen'?

KAREN D.v.s., jeg drar forbi til institutet.

BIRGIT Ja, ja der ligger jo et pikeinstitut[1] like ved.

KAREN Og der har vi vor datter.

BIRGIT Er hun der? Du har bare ett barn — og har henne i institut?[2]

KAREN Å, det er så'nt udmærket institut. For resten var det ikke bra at ha henne hjæmme. Tygesen må ha ro.

BIRGIT Men så er hun jo ikke langt borte? En liten time derut.

KAREN Jeg besøker henne hvær søndag.

BIRGIT Men hun var i byen igår?

KAREN Helga? Nej.

BIRGIT Jeg så to unge piker i teatret igåraftes, og min nabo sa at den ene lignet din datter.

KAREN Lignet Helga?

BIRGIT Ja, det var således jeg fik vite at dere bodde her.

KAREN Vi har bodd her vel et år nu.

BIRGIT Ja, ja det visste jeg ikke. Jeg kom her iforgårs. I 'Hæsteskoen' var malingen ikke tør uten i et eneste rum — det store, du vet, midt foran — det med karnappet på.[1]

KAREN Der hvor det spøker![1]

BIRGIT Der hvor det spøker, ja! — Nu, så flyttet jeg tilbake på hotellet. Men skulde jeg være i byen, så vilde jeg gå i teatret og se gamle ansigter. Ja, det var jo søndag.

KAREN Det samme gjorde vi da vi kom fra utlandet.

BIRGIT Der var ganske fullt. Jeg satte mig helt foran i en snipploge.[1] Alle glodde på mig, ingen kjænte mig. Jeg hadde også kikkerten foran øjnene hele tiden mens tæppet var nere.[1] [2]

KAREN Nu, hvad var *dit* intryk?[2]

BIRGIT Jeg tænker mig det måtte ha været det samme om jeg hadde været borte i 100 år! Det meste nyt, nej så aldeles nyt! Så noget som aldrig blir nyt. Fru Holm sat ænnu i parket,[1] like varm og rund og blid; det var bare ikke fru Holm, men hennes datter, vor lille Augusta. Fru Holms gamle mor sat der også. Sammenkrøpen og tynn — og like glad i skuespill som altid. Men det var ikke fru Holms mor; det var fru Holm selv.

KAREN Ha, ha, det er virkelig sant.

BIRGIT Men alt det jeg kjænte igjæn, det var ingenting mot det jeg ikke kjænte.

KAREN   Ja, har du set maken? De fleste her er nye!

BIRGIT   Nordmændene må være et gruelig uroligt folkefærd.[1]

KAREN   På vore rejser traf vi nordmænn overalt — bare det fløt vand. — Men du sa det var nogen som lignet Helga?

BIRGIT   Ja, der var. — Nej vet du, jeg må virkelig få ta kåpen av mig?

KAREN   Å kjære!

BIRGIT   Tidlig imorges gik jeg ut, og da var det koldt. Men nu — ! For en overgang!

KAREN   Ja det er vel litt skarpere[1] her æn i Odessa?

BIRGIT   Å, det kan være skarpt nok der.

KAREN   Jeg skal ta din kåpe.

BIRGIT   Nej visst ikke!

KAREN   Å!

BIRGIT   Gud, hvad er det?

KAREN   Tygesens optegnelser![1] Du har lagt din kåpe nætop over dem han nu holder på med.

BIRGIT   Kjære, har han dem liggende her?

KAREN   Ja, han har ikke plass til alle i sit arbejdsværelse.

BIRGIT   Men alle disse småstenene?

KAREN   Ja, dem må vi lægge op igjæn, hvær på sin pakke. Så! Det er fordi at pakkerne ikke skal blandes om hværandre. — Dette er Rusland.

BIRGIT   Rusland?

KAREN   Han skriver nu om Rusland. Og så længe er hele huset i Rusland.

KAREN   Her er optegnelser over Ruslands sprog.

BIRGIT   Det der?

KAREN   Han holder nætop på med sprogene nu. Du kan ikke tænke dig hvor mange det er!

BIRGIT   Du, sæt så[1] jeg kom og blandet alle disse sprogene sammen!

KAREN   Ja, du kan tro det blev ikke spøk! Se så. Nu håber jeg det er som det var —

BIRGIT   — før sprogforvirringen.

KAREN   Ha, ha! Å, det er rasende morsomt[1] at du er så uforandret!

BIRGIT   Synes du? Nej, hvor det er vakkert her hjæmme! Jeg forstår ikke at jeg hadde glæmt det. Eller kanske hadde jeg aldrig set det. Jeg var jo så ung dengang.

KAREN   Ja, vakkert er her!

BIRGIT   Og våren her! Jeg har aldrig set vår før.

KAREN   Andre siger vi har ingen vår.

BIRGIT   Ja, så er det sommeren da som ser ut som vår. Sånt liv der er i det! — Men menneskene her er likesom ikke glade.

KAREN   Ikke nok for dig.

BIRGIT   De går som de skulde hen og lægge kranser på en grav. — Kjære, maler du?

KAREN   Nej, jeg males. Jeg skal dra staffeliet[1] litt længer frem, så du kan se. —

BIRGIT   Men det er jo malet av en mester?

KAREN   Han er det. Du har visst set hans navn ofte. *Henning*.

BIRGIT   Er det Henning? Ja, men hvor det er udmærket, Karen!

KAREN   Synes du . . . ?

BIRGIT   Han er vel ikke forælsket i dig?

KAREN   Nej, hvordan kan du falle på — ? Ha, ha!

BIRGIT   Der er noget i den opfatning[1] som — ! Og han er jo en gruelig forælsket[1] natur, er han ikke?

KAREN   Hvorledes vet du det?

BIRGIT   Han var i teatret igåraftes. Det var han som sat sammen med de to unge pikene. Og da hørte jeg et og annet om ham.

KAREN   Av hvem?

BIRGIT   Den samme dame ved siden av mig. I den bakerste loge så jeg to unge piker og en herre le og more sig så kostelig. De to piker sat og trykte sig langt bak for ikke at bli kjænt. Og den ene, sa de, lignet din datter.

KAREN   Nej, Helga var ikke der; hun fik naturligvis ikke lov til at gå i teater uten vort samtykke.[1] Det er så'nt udmærket institut.

BIRGIT   Men på den måten fik da jeg høre at dere var her. — Alle kjænner din mann. Han er jo så berømt.

KAREN   Ja, han er blet det i de senere år.

BIRGIT   Men han skal jo være så rar, du?

KAREN   Jaså? Ha, ha; hvem har sagt det?

BIRGIT Nu, det husker jeg virkelig ikke. Jo, en kan jeg nævne: min mann.

KAREN Ja, der kommer Tygesen, så kan du selv se!

BIRGIT Er det han som nu er i gangen?

KAREN Ja, nu er han gåt sin morgentur.

ANNET MØTE

TYGESEN Tattera — tattera — tattera — tattera! — For et vejr! Det gyver av sol![1] Og som det dufter derute!

KAREN Nej, men Tygesen, ser du ikke — ?

TYGESEN Hvad? Å!

KAREN Min mann — fru Birgit Rømer.

TYGESEN Birgit — Rømer? D.v.s. Birgit Hamre! Gift med gamle Rømer i Odessa, han med kalotten[1] og de to papegøjer[1] derinne i det store kjølige rum med porcellænsgulvet! Vi var der en hel uke! Og De var der ikke!

BIRGIT Ja, det var forargeligt.[1]

TYGESEN Ja, visst var det forargeligt. — Så nu er De kommet flyvende[2] fra det Sorte Hav! Og slår ned i 'Hæsteskoen'? Å Gud hvor det sted ligger vakkert der i bakkerne! Ligger på to armer og ser utover. Vi har vort pikebarn derute i institutet. Et udmærket institut! — Når kom De, kjære? Nej bi litt — jeg må se på Dem!

KAREN Min mann er meget nærsynt.

TYGESEN På mine rejser, ser De, så har disse pokkers kikkerter[1] ætt øjnene ut av hodet på mig. — Men De er jo[2] en ung pike.

BIRGIT Det samme siger jeg om Deres hustru.

TYGESEN Karen? Gift da hun var 16 år, og har en datter på næsten seksten; og seksten og seksten gir to og tredive år! To og tredive år er Karen! Ja, ja, så må vi trekke fra[1] det året hun gik med Helga.

BIRGIT Lægge til, mener De?

TYGESEN Om forladelse: lægge til! Det må vi! Altså: Karen er næsten 33 år, er Karen! Ja, der kan De se!

BIRGIT Og jeg er vel 35.

TYGESEN Er De? Ja, men Karen ser ældre ut.

BIRGIT   De må være meget nærsynt.

TYGESEN   Virkelig? — La mig se!

KAREN   Nå Tygesen!

TYGESEN   Hun tør ikke! Hun tør ikke! Det tænkte jeg nok! — Å
ja, vi har gåt for langt idag: jeg er blet *for* varm. Ja, unskyll, frue,
at jeg ikke tar hatten av. Jeg må beholde den på, og frakken også,
til jeg skifter. Det var Turmans skyll. Jeg kunde ikke få ham til at
forstå mig! I grunnen har han ingen fantasi. Og uten fantasi
ingen opdagelse, det siger jeg bestandig; det gjæller viden-
skapsmannen som alle andre. Men hvad gjør Turman? Han
husker jo alt han engang har glodd på,[1] og så tar han og lægger
stykke for stykke tørt sammen, alt det som vites om samme ting!
Nu gjæller det *Istar*. De vet gudinnen Istar. Om hennes betydning
er der megen strid, å, megen! Så sætter han op hvær linje, hvært
ord, hvært tegn i alle de babyloniske og assyriske myter, som
handler om Istar. Og på den måten, ser De — altså ved at sætte
dette sammen akkurat som stykkerne i en billedæske . . .[1]

KAREN   Ja, men dette kan jo ikke interessere Birgit.

TYGESEN   Ha, ha, ha! — Det kommer av at Turman har snakket
mig full, og nu rænner det over. Ja, professor Turman og jeg,
vi går morgentur sammen, og vi har hvær vor dag at snakke på. Og
idag har det været hans tur. — Geografi og sprog er nærmere i
slækt æn folk tror. Det var nætop sprogstudierne[2] som fik mig in på
geografien. Jeg begynte som ung sproglærd.[1] Men når jeg holdt på
med sprogene, især de gamle, så var det som jeg i det ene hørte
havet i fjærn brus — hørte dette lange, melankolske sug — og
dette stadige småkvisker.[1] Og i det annet sprog hørte jeg akkurat
som ekkoet mellem fjællene. Det smalt, og det spratt,[1] og det lo. Og
så slættesproget. Tunge, ensformige steg, hæstetramp og vognrassel.[1]
Og på den måten så jeg landskap og levesætt[1] stige op av sprogene.
Det fristet mig; jeg måtte læse om de land folkene bodde i, rotet
mig så dypt in — og blev der for bestandig! — Lyden, ser De, det
foniske, det har fra første færd[1] besat[1] min fantasi. Men Turman
har ikke den minste sans for det. Ikke et bøss![1] [2] Så han ærgrer
mig. Men, Gud, hvad han vet! Hele bærg av hukommelse! —
Tross alt: jeg har den dypeste beundring for Turman! Jeg slår
op i ham[1] som i —

BIRGIT   — Er han gift?

KAREN   Ha, ha!

TYGESEN   Karen! Hun spør om Turman er gift!

KAREN   Å Gud nej, han er født ungkar.

TYGESEN   Hadde De set ham, frue, bare et øjeblik, så hadde De visst ikke spurt. Turman er fra Sætersdalen. Han ligner en kobbe.[1] Og så er han opdraget i Kristianssand, en by hvori der bare er fruentimmer.[1]

BIRGIT   Nå — !

TYGESEN   Ja, ja, rimeligvis nogen mannfolk også. Men en Sætersdøl[1] væltet ner i Kristianssand for at opdrages der? Hvad? Han hader fruentimmer siden den tid! — Han har aldrig en time i sit liv været hæftet bort,[1] Turman! — det er saken.

KAREN   Ja, skulde du ikke nu ville bytte,[1] Tygesen?

TYGESEN   Ja, ja, du har ret! Du har ret! Om forladelse, fru Rømer. En kan ikke være forsigtig nok. Jeg har ikke tid til at være syk, skal jeg sige Dem.

BIRGIT   At være så optat må være den største lykke jeg kan tænke mig.

TYGESEN   Ikke sant? Uten det vilde jeg ikke leve! Nej! Man taler om ungdommen som den lykkeligste tid. Jeg vilde pinedød[1] ikke ha den om igjæn — al denne sanselige galskap,[1] dumhed, og for-fængelighed, og alt det sludder[1] — ikke for en rejse gjænnem Kina! Skjønt jeg har fælt lyst på en rejse gjænnem Kina.

BIRGIT   Så tror jeg nok at kvinnerne gjærne vilde ha den op igjæn.[1]

TYGESEN   Å — hå! Ja! — Ja, der er det! Ungdomstiden, det er kvinnernes paradis! Deres levende roman! Ballminner,[1] måneskins-kvæller, gule brev![1] Ho, ho! — Dermed er dere dømte! Gakk hen[1] og skam dere!

KAREN   Ja, men Tygesen!

TYGESEN   Nu går jeg, nu går jeg! Ja, unskyll, kjære frue! Ja, jeg virkelig glæder mig uhyre til å få se in i 'Hæsteskoen'! Fra barn[1] har jeg lagt alle eventyr dit hen. Jeg betinger mig[1] at være[2] alene i storstuen en nat for at se spøkeriet.

BIRGIT   Så får vi kanske ænde på det! Velkommen! Ja, med den mann skal ingen kjede sig! Jeg finner ham aldeles prægtig, Karen.

TREDJE MØTE

KAREN   Du Birgit, jeg har lagt frem tæpper vi har med fra Asien; du må ændelig se på dem! De er der ovenpå, hele gangen deroppe, ja, trappen også, har vi gjort til et lite museum. Du træffer Malla der.

BIRGIT Malla? — Frøken Rambæk? Hun som på en måte var din plejemor?

KAREN Hun har været hos os hele tiden.

BIRGIT Nej virkelig?

TYGESEN (*innenfra*) Malla!

MALLA Hvad er det?

KAREN Å, mavebæltet!

TYGESEN Mavebæltet!

MALLA Ja! — Ja! Nu kommer jeg, nu kommer jeg.

TYGESEN Men, Gud bevare dig, Malla! Jeg har aldrig set maken!

KAREN Men, Malla da!

MALLA Her er det! Her er det! Å Gud, jeg fik ganske vondt!

BIRGIT Ha, ha, ha!

MALLA Er De her?

BIRGIT Ja. Så De hadde glæmt mavebæltet? Ha, ha, ha!

MALLA Ja, De ler, De! Jeg ryster sågu[1] over hele legemet. — Men jeg må da få hilse på Dem.

BIRGIT De husker mig vel igjæn fra den tid De ofte var så gruelig snill med mig? Å, det var morsomme dager.—

FJÆRDE MØTE

TYGESEN Malla.

MALLA Å, nu begynner han igjæn.

BIRGIT Du skulle ikke ville gjøre mig en stor glæde, Karen?

KAREN Hvad er det!

BIRGIT Mens malingen tørker derute i 'Hæsteskoen', vilde jeg gjærne rejse litt i landet. — Du kan ikke være med?

KAREN Jeg?

BIRGIT Ja, naturligvis som min gjæst. Å, vi skal ha det så morsomt sammen. Som i gamle dager, du.

KAREN Å du kan tro jeg gjærne vilde — men jeg kommer ikke løs[1] her.

BIRGIT Fra huset?

KAREN   Nej. — Men Tygesen trænger så megen hjælp. Siden hans store sygdom . . .

BIRGIT   Har Tygesen været syk?

KAREN   Å, forfærdelig. Og siden den tid kan vi ikke være omhyggelige nok.[1]

BIRGIT   Ja men han kan da ikke være svak, han? Han kan da visst snakke i sænk[1] 10 almindelige mennesker!

KAREN   Ha, ha, ha! Tænk om vi to fik være sammen igjæn en fjorten dages tid! Og til og med på rejser.

BIRGIT   Ja, men kan vi ikke det da?

KAREN   Jeg fik aldrig lov til det.

BIRGIT   Lov? Ber du om lov?

KAREN   Gjør ikke du?

BIRGIT   Nej! Da måtte min mann også be mig om lov! Men vi tar naturligvis hensyn til hværandre. —

KAREN   Nu ja; jeg skyller Tygesen det hensyn.

BIRGIT   Men når du har Malla? Bare for en fjorten dager? Eller tre uker?

KAREN   Malla er så svak i den senere tid. Hun husker ingenting.

BIRGIT   Ja, jeg ser hun bruker snus for det.

KAREN   Nej, har du set det? — Det er en stor hemmlighed!

MALLA   Ja ja, det var det. Ler dere av mig?

KAREN   Du må vite, Malla, hun har straks set det!

MALLA   Gud, hvad? Hvad?

KAREN   At du bruker snus![1]

MALLA   Nej, å fy, er det ikke skamfullt?[1] Men si mig, kjære frue, hvorledes kan De se det?

BIRGIT   Hvis vi skal være dus som i gamle kjære dager, så skal jeg sige det.

MALLA   Så gjærne! Jeg kan ikke begripe — ?

BIRGIT   Jo, de som snuser hemmelig, har lagt sig til en egen vane.

MALLA   Nu — !

BIRGIT   Når de kommer i nærheten av en fremmed, så, uten at vite det, så børster de sånn med hånden over brystet.

MALLA   Så det gjør jeg! Ja, der kunde jo være spildt nogen korn!

At bruke snus er en stygg vane. Men jeg takker min Gud det
ikke er morfin. Det skyller jeg altsammen det asen[1] derinne!

KAREN Men Malla — !

MALLA Å ja, nu vi skal til at omgåes, kan det ikke skjules al-
likevel. Du må vite han tar livet av mig! Jeg har blet så nervøs at
jeg ryster, bare jeg hører ham. Og så har jeg også mistet al min
hukommelse. Det er virkelig bare fordi jeg aldrig får fred! Jeg
er for gammel til det, jeg tåler det ikke. Og var det ikke for
Karens skyll, så var jeg rejst for mangen god dag siden. Jeg
trænger ikke at være her!

KAREN Men Malla! Kjære!

MALLA Jeg har jo hvad jeg kan leve av. — Men jeg holder ikke
ut at tænke mig at Karen skulde være alene med ham. Så går
også hun tilgrunne.

KAREN Malla! Malla!

BIRGIT Således . . . . .! Og dette skriver sig fra hans store sygdom?

MALLA Nej, det vil jeg ikke sige. Men dengang gallt det livet[1] —
og et kostbart liv er det jo. Måneder efter var han ganske hjælpe-
løs, så vi måtte bestandig stå færdige.

BIRGIT Og så kom han i vane med det?[1]

KAREN Vi er naturligvis skyll i det. Vi skulde ikke ha latt det
komme så langt.

BIRGIT Hør, mine kjære venner! Nu skal dere *begge to* følge med
mig på en tre ukers tur! Det er sikkert det!

MALLA Vi?

BIRGIT Jeg sa det til Karen for en stund siden. Ja da var det
mest mig selv jeg tænkte på. Nu er det for Deres skyll.

KAREN Men Tygesen?

BIRGIT Og for Tygesens skyll! Naturligvis! Først og fremst for
Tygesens! Ja hvorledes kan dere vænte, at Tygesen skal opdage
hvad dere er for ham, når dere aldrig forlater ham?

MALLA Hvor ofte har jeg ikke sagt dig det, Karen? — Å, mer æn
hundre ganger, mer æn tusen!

BIRGIT Og opdager han det ikke på de tre uker vi rejser, så
ta in til mig,[1] når vi kommer tilbake! Bare vænt!

KAREN Men Tygesen kan ikke være alene; Tygesen tåler ikke al
den ugreje[1] som da blir!

BIRGIT La ham så lære at han ikke tåler det!

KAREN Hvad skal det være godt for?

BIRGIT Kan du spørge? Så kryper han naturligvis til korset.[1]

KAREN Å Tygesen? Det gjør Tygesen aldrig! Før sætter han livet til.

MALLA I den siste tid er han som gal. Vorherre vet hvad som går av ham.

KAREN Men, Malla! — dere forstår ikke Tygesen. Det er hans nervøsitet. Den jager op hans fantasi, og så blir han som vill. Men det går straks over. I grunnen er han et ejegodt menneske.[1]

MALLA Som biter! Et ejegodt menneske som biter! Enten pokker det er hans fantasi som biter, eller han selv — like vondt gjør det. Og så utaknemlig som han er! Vi gjør alt som det er muligt at gjøre for ham. Men når det er det minste i vejen,[1] ber han os gå fanden i vold.[1]

BIRGIT Nu — så gå da — fanden i vold.

KAREN Det er ikke utaknemlighed. Han er jo til andre tider utrolig taknemlig. Nej, det er bare utålmodighed. Vi må prøve at bære over.[1] Vi har da ansvar, vi også.

MALLA Ja, ansvar? Vi må svare til han blir gal![2] Alting skal vi gjøre for ham, og samtidig skal vi være av vejen. Er han ikke gal? Hvis vi kunde spise og sove for ham, så tvang han os til det også; men vi måtte være usynlige! — Ja, du ler du? Vet du han holdt et leven[1] i måneder for at få Helga, sit eneste barn, ut av huset. Han gav ikke fred. Og hvad var det så?

BIRGIT Nå — ?

MALLA Han vilde ha hennes rum til sine karter. Ikke det ringeste annet.[1]

BIRGIT Til sine karter?

MALLA Til sine karter. Han har karter i hauger, og alle opklæbet, de rummes ikke[2] længer inne i kontoret. Han har også tat have-stuen fra os. Uff, den dejlige havestuen. Vi har bare dette værelse her og soverummene ovenpå. Men geografien begynner såmæn at krype in[1] her også. Bare vent! — Om en stund har han trængt os op på sovekammerne.

BIRGIT La ham få hele huset! Flyt ut! Kom med mig!

MALLA Å tænk at kunne slippe fri, Karen, få ånde fri luft! Få rejse, vi som har rejst i så mange år. — Hvad siger du, Karen?

KAREN Ja, med Tygesens samtykke; — og det gir han aldrig.

BIRGIT Jeg skal gå på ham for dig[1] — !

KAREN Han vil ikke engang forstå det. Han selv lever bare for at arbejde.

MALLA Ja men forsøk det! Så må han i alle fall ut med sine grunner for at han ikke kan unvære os. Han vil så nødig tilstå dem!

KAREN Men ikke nu! — Nej, ikke nu. —

MALLA Hvorfor ikke nu?

BIRGIT Er ikke portrættet færdigt?

KAREN Jo . . . Men — . Nej, ikke nætop nu.

BIRGIT Nå, så skal jeg komme inom siden.

KAREN Ja. Eller jeg skal hænte dig. Du bor — ?

BIRGIT I Grand Hotel. — Når kan jeg vænte dig?

KAREN Er du hjæmme i eftermiddag?

MALLA Altså ikke i formiddag?

KAREN Jeg vænter — ja, jeg kan jo sige det — jeg vænter Henning her hvært øjeblik.

MALLA Idag?

BIRGIT Er han ikke færdig? — Maleriet er jo ferniseret?[1]

KAREN Han har vænter på at fernissen skulde bli tør; for så kan der males igjæn. Han ville rette på noget.

BIRGIT Nå, så kommer du i eftermiddag?

KAREN Ja, det gjør jeg. Og inderlig takk!

MALLA Takk fordi du også vilde ha med mig gamle! —

BIRGIT Ja, du må ændelig være med, Malla!

KAREN Å, Malla har slik rejselyst!

MALLA Ja, det har jeg!

BIRGIT Ja ja ja, farvel så længe!

KAREN Farvel, Birgit, farvel.

MALLA Ja, jeg har travelt; men jeg må sige at make til besøk har vi ikke hat, siden vi kom her!

KAREN Ja deri er jeg da ændelig enig med dig.

MALLA Å, vi skal nok bli enige i det annet også!

KAREN Malla, Malla!

MALLA Ja, noget må gjøres, vi må forsøke noget! Dette kan ikke gå!

KAREN Der er han!

MALLA Hvem han?

KAREN Henning. Kjænner du ikke hans ringning?

MALLA Jeg skal gå og lukke op, jeg.

FEMTE MØTE

HENNING God morgen, frue!

KAREN God morgen! Jeg beklager at jeg ikke kunde sitte[1] igår.

HENNING Det gjorde ingenting. Jeg hadde annet for. — Hvad var det for en vakker dame jeg møtte ved døren?

KAREN Ikke sant?

HENNING Så intelligent vakker. Hun var ikke herfra, hun?

KAREN Nej, hun kommer helt fra Odessa. Hun er gift med den rike Rømer, kornhandleren.

HENNING Å, den gamle, slappe fyren — — ! Jeg så ham engang i Trieste. Da bodde de der. Folk sa han hadde en ung kone. Hun levde svært flot, sa de.

KAREN Noget måtte hun vel 'more sig med', hun også.

HENNING Det glæder mig!

KAREN Jeg visste det vilde glæde Dem. Derfor sa jeg det.

HENNING Jeg er så taknemlig! Menneskene må more sig, frue. Enhvær har ret til at more sig.

KAREN Jeg hører De har moret Dem så igåraftes?

HENNING Jeg?

KAREN I teatret med to unge piker?

HENNING Å — !

KAREN Kan man få vite hvad det var for to?

HENNING Nej, man kan ikke. I slike ting er jeg diskret, frue.

KAREN I slike ting — ?

HENNING Å, det uskyldigste av værden! To unge piker som også ville more sig. — Men kanske ikke de har lov til det.

KAREN Hvorledes tør de da gå i teatret?

HENNING Ja, de er ikke her fra byen. Ingen kjænner dem. Det er alt jeg vet om dem.

KAREN Deres navn vel.

HENNING Ja, deres navn, og at de bor på hotel — formodentlig[1] sammen med slægtninger.

KAREN Formodentlig?

HENNING Jeg har aldrig fulgt dem in.

KAREN Å, det har De forsøkt?

HENNING Av høflighed naturligvis.

KAREN Hvorledes træffer De dem i teatret? Er det efter avtale?

HENNING Så, det interesserer Dem, det der? Hvem har været ute og sladret?[1]

KAREN Den dame som nylig gik herfra.

HENNING Å! — Det er jo sant; hun sat i snipplogen og lorgnetterte[1] os!

KAREN De må da ha været stærkt optat av de to, siden De næppe har lagt mærke til henne i snipplogen. De, portrætmaleren! De kjænte henne jo ikke igjæn!

HENNING Nej. Jeg kjænte henne ikke igjæn. Nå ja, om jeg moret mig igåraftes, er der noget galt i det? —

KAREN Har De aldrig tænkt på at gifte Dem, Henning?

HENNING Skulde *det* være morsommere?

KAREN Nå — om ikke morsommere, så —

HENNING — Så — ?

KAREN Ja, vi lever vel for mere æn at more os!

HENNING Jeg arbejder jo også, frue.

KAREN Ja, man blir ikke det De er, uten at arbejde.

HENNING Og det er morsomt at arbejde. Men kan vi så ikke more os litt ved siden av også! Litt — hvad?

KAREN Jeg kan ikke annet æn at le. Og likevel — det De kaller moro . . .

HENNING Tal ut! — Om forladelse, litt højere med hodet! — Rigtigt! — Litt mere utad![1] Så; — takk! — — Hvad var det De vilde sige, frue?

KAREN Nej jeg husker det ikke.

HENNING Jo, det var slikt som, at det jeg kaller moro — ?

KAREN Ja — det går kanske ut over andre.

HENNING Hvorfor det? De morer sig, de også.

KAREN Ja, men . . .

HENNING   Men? De stopper bestandig — ?

KAREN   Men om nu *De* tok det alvorligere, Henning?

HENNING   Og blev hængende i det,[1] mener De?

KAREN   Å, hvis følelsen er ægte, så er det styggt at sige De blev 'hængende i det'.

HENNING   Ulykken er, frue, at disse såkallte ægte følelser . . .

KAREN   Såkallte? — Er der heller ingen ægte følelser nu?

HENNING   Gud, jeg nægter ikke det! Jeg søker dem tvært om! Det er bare dem jeg søker. — Skjønt *det* er kanske noget meget sagt.

KAREN   Ja, jeg tænker også det.

HENNING   Nu står De ikke stille! — I grunnen har jeg dog ret til at sige som jeg sa. Så længe følelsen er ægte, er det morsomt. Men når den ikke er det[2] længer, så holder jeg op. Nætop da *begynner* ægteskapet! Da begynner det!

KAREN   Ja, De er imot ægteskapet?

HENNING   Bare ett av hundre ægteskaper er 'ægte'.

KAREN   Med 'ægte' mener De forælskelse?

HENNING   Ja, hvad skulde jeg ellers mene?

KAREN   Ægteskap er noget mere æn forælskelse. Forælskelsen bare inleder ægteskapet.

HENNING   Hvad fortsætter det, om jeg tør spørge?

SJETTE MØTE

TYGESEN   Karen, har *du* ryddet herinne idag? Hvem pokker har[2] rørt ved mine papirer? (*Ser Henning bak portrættet.*) Å, er *De* her? God dag! Det var altså De som ringte?

HENNING   Ja.

TYGESEN   Jeg trodde De var færdig?

HENNING   Når fernissen kommer på, sees næsten altid et og annet som må rettes.

TYGESEN   Hvor er mine notater blet av? Jeg må desværre inat ha været uforsigtig nok til at ha latt[2] dem ligge løs på pulten derine? Og så er de pokker i vold!

KAREN   Ja, jeg har ikke rørt ved pulten.[1]

TYGESEN Men du skulde heller ikke la nogen annen røre ved den!

KAREN Det har da visst ingen gjort.

TYGESEN Nej, naturligvis! Ingen har rørt ved den.

KAREN Men Gud, Tygesen, at du går i den slobrokken.

TYGESEN I den? Den er det stolteste plagg jeg ejer! Den er mit værdighedstegn![1]

HENNING Hvis det ikke var for ubeskedent: — Hvad er det for en værdighed den er tegn for?

TYGESEN Jo, det skal jeg sige Dem. Den betyr at jeg er herre over mine egne klær — !

HENNING Er det en ny værdighed?

TYGESEN Splitterny.[1] — Aldrig kunde jeg ha mine klær ifred. Det går de flæste ægtemænn så. Når et plagg først var[2] rigtig begynt at bli mig kjært, så forsvandt det. Ubønhørlig! Kvinnfolkene, skal jeg sige Dem, utvikler i årenes løp en herskelyst, en sejg intrængen[1] på fremmed område som *må* slåes tilbake. Ellers får vi ikke engang beholde klærne.

HENNING Ja, kvinnerne vil altid ha nytt.

TYGESEN Altid noget nyt! Om denne slobrok har jeg værget[1] som en løve. To ganger har jeg hæntet den tilbake fra fillekurven. To ganger! Nå bærer jeg den for at vise dem at over mine egne klær er jeg i alle fall suveræn! Over mine papirer er det mig ikke muligt. Ja, De ler, De. Men vænt bare!

KAREN Å, Henning kommer ikke til at erfare det. Henning gifter sig ikke.

TYGESEN Jaså, De gifter Dem ikke?

HENNING Nej. —

TYGESEN Jeg gratulerer!

HENNING Mange takk!

TYGESEN Av mit ganske hjærte! — En mann som har noget at leve for, bør ikke gifte sig. — Hvad siger Goethe?

HENNING Det husker jeg ikke.

TYGESEN Ja, ikke jeg heller. — Men han talte av erfaring. — Det var noget slikt som at det er et stort hæfte[1] [2] at være gift.

KAREN Det sa ikke George Eliot. Skjønt hun også var en stor digter. Ikke Lewes heller.

HENNING Også jeg har kjænt kvinner som har hjulpet sine mænn — og omvændt.

11

TYGESEN   Med at male?

HENNING   Nætop.

TYGESEN   Nå ja, untagelser! Og plass for untagelserne! Det siger jeg altid. Jeg har intet imot kvinneemancipationen.[1] La henne som kan det, bli præst — og han stelle barna! Når *hun* duger til præst og *han* ikke, hvorfor la klærne være i vejen? Overalt det som er naturligt. Ingen doktriner! — Men til syvende og sist så er det ikke ægteskap, det der. Det som George Eliot og Lewes levde, det var kammeratskap.

KAREN   Jeg tænkte ægteskapet bestandig skulde gå over til det.

TYGESEN   Men når det nu ikke vil gå over? Det eneste de kunde sammen det var at ælske. Når de skal til med noget mere, så går det ikke. Hvad så?

HENNING   Ja, hvad så? Der er det!

TYGESEN   Og selv om det går, og det blir til kammeratskap ... er det sagt *det* varer[1] hele livet? Når det ikke varer, hvad så igjæn?

HENNING   Hvad så igjæn?

TYGESEN   Desuten: kunde vi ikke komme billigere til et godt kammeratskap æn ved giftermål?[1] Dengang ægteskabet blev institution, kjænte man ikke til arbejdets fordeling.

HENNING   Ha, ha!

KAREN   Å, hvor du snakker!

TYGESEN   En gift digter har engang sagt at han bar hjæmmet med sig på ryggen likesom sneglen. Han trodde derved at prise ægteskapet, den tosken! — Når jeg møter mine kolleger på gaten, de gifte, forstår sig — så hilser jeg bestandig to ganger. En gang synlig og agtelsesfullt på mannen, en gang usynlig og medlidende — på hans pukkel![1] — Huff, nej, jeg må in og søke igjæn. (*Til sit rum.*)

SYVENDE MØTE

HENNING   Hvad er det, frue? — Men De tar Dem da ikke nær av hvad professoren går og finner på? Overdrivelser og billeder[1] morer ham, som De vet.

KAREN   Ja, jeg vet det — jeg vet det. Men allikevel — !

HENNING   Men hvorfor tie og gråte — når en kan svare så godt for sig[1] som De kan?

KAREN   Jeg kan ikke mer! Det er noget i mig som oprører sig mot at svare![1] — Han har i den senere tid . . . Nej, jeg siger ingenting! Jeg gråter heller ikke. — Unskyll! — Det er en skam!

HENNING   På højre øje må De så gjærne gråte. Men venstre holder jeg på med.

KAREN   Ha, ha! — Huff De må få underlige tanker om mig, at jeg sådan kan gråte og le på én gang. Men det er blet sådan i den senere tid.

HENNING   Men frue — !

KAREN   Det er som jeg ikke var frisk! . . . Men det er jeg da.

HENNING   Prøv nu at tænke på noget annet! Bare et lite øjeblik! — Så kommer resten av sig selv! Vi skal finne på noget som er 'morsomt'. De vet vi kan det.

KAREN   Det er snart ikke mere som er morsomt!

HENNING   Æn sommeren da? Nu kommer sommeren!

KAREN   Ja, til dem som kan nyde den, ja. Men det kan ikke vi. Vi har ikke engang havestuen.

HENNING   Men frue, De er næsten likeså nervøs som Deres mann! —

KAREN   Ja, jeg er det. Jeg kan ikke hjælpe det.[1] Det er for galt. — Men nu *vil* jeg prøve!

HENNING   Igår stod jeg og så på åserne her, og da blev jeg med én gang som tullen[1] av rejselyst. En tur på fjorten dager, sa jeg mig selv. Jeg bestemte mig i samme stund.

KAREN   Den damen De møtte, har også bestemt sig til det.

HENNING   Hun også?

KAREN   Ja. Hun søker følge.

HENNING   De mener vi to kan slå os sammen?

KAREN   Å nej, dere to kan ikke rejse alene.

HENNING   Så kan jo *De* være den tredje. Kan De ikke?

KAREN   Heller ikke vi tre kan rejse alene. Det vet De godt. Men hun inviterte mig ellers til at være med.

HENNING   Men det er jo prægtigt! De trænger en tur! Vi finner os en fjærdemann! En gruelig alvorlig en, hvad? Tænk om vi et par-tre uker kunde se noget av det vakkreste i landet? Er nu ikke det heller morsomt?

KAREN   Det kunde visst bli det.

HENNING Vet De hvad, frue? Nu tror jeg at jeg vil slutte. —
Takk! — Det kunde bli?[1] Ja, det beror på Dem selv. 'At ville . . .
det er hele kunsten.' — Så! Nu erklærer jeg mig færdig! — Kan
De se hvad det er jeg har gjort?

KAREN Nej. — Jo, jeg tror — nej!

HENNING Ja, De ler? Hvad har De nu igjæn at sige?

KAREN Det samme som før, at hun der er friskere og ser yngre
ut æn originalen.

HENNING Og mit svar skal være at vi sætter begge to (*drejer
staffeliet*) sammen foran spejlet. Kom nu!

KAREN (*kommer*) Ja, så må *De* gå bort!

HENNING Jeg? Må jeg ikke få lov at se? Jeg, som dog står i et
slags forhold til[1] en av dem der? — — — De er bare meget yngre,
frue, meget friskere!

KAREN Der går Birgit forbi!

HENNING Birgit — hvem?

KAREN Fru Rømer —

HENNING Å — ! Ja nu ser jeg — ! Hør tror De ikke jeg kan
introducere mig selv? Og foreslå rejsefølge. Jeg har en pokkers
lyst![1] — Hvad?

KAREN Ja — hvorfor skulde De ikke kunde det?

HENNING Så sender jeg en efter alt det der! Farvel så længe, frue!
Undskyll at jeg må skynde mig!

KAREN Nej, nej det møte må jeg se på! (*Løper. Kåpen soper ned av det
ene bord ekscerpter og stener, så det ramler og fyker. Karen skriker.*) Å! Å!
Å Gud!

OTTENDE MØTE

TYGESEN (*i døren fra kontoret*) Jeg syntes jeg hørte . . . Nej det kan da
ikke være muligt? Jo, så pinedød — ! Men er du fra forstanden?

KAREN Jeg kom til at[1] —

TYGESEN Kom til at — ? Kan noget menneske 'komme til' at
gjøre slikt? — Vil dere drive mig ut av huset?

KAREN Nej, Gud, så skal heller jeg gå.

TYGESEN Du gå? — Hvor skulde *du* gå hen?

KAREN Du mener jeg har ingensteds at gå hen?

TYGESEN Jeg mener du skal la mine ting være i fred! Hvorfor vil dere ikke flytte ovenpå og være der? Dere måtte da forstå,[1] at kan dere ikke hjælpe mig, så må dere ikke forstyrre mig? — Hvad skulde du her at gjøre?

KAREN Jeg skulde — !

TYGESEN Ja, gråt det har vi nok av. — La det være altsammen! — Gi mig det! Jeg skal ta det op og ordne det. *Du* kan så allikevel ikke.

KAREN Ja men skal jeg ikke hjælpe dig?

TYGESEN Ja ja ja, bare gå med dig! — Å dersom jeg ænda kunde forstå hvordan det gik til!

KAREN Jeg skulde skynde mig at—

TYGESEN Hvorfor skulde du skynde dig?

KAREN Fordi. . . Ja, kan ikke det være det samme?

TYGESEN Du skulde skynde dig for at se efter Henning?

KAREN Tygesen!

TYGESEN Hvad skulde han her idag igjæn?

KAREN Han skulde høre dig være rå![1] Det er du hvær gang han er her.

TYGESEN Og du er blet gal, siden han kom i huset.

KAREN Nej, nu går det for vidt. Dette tåler jeg ikke!

TYGESEN Nå? Nej, se det var nyt!

KAREN Ja, desværre, det er nyt. For jeg har tålt alt. Du lægger intetsomhelst bånd på dig![1] Du krænker både Malla og mig i det grænseløse! Også overfor fremmede. Men engang blir det for meget.

TYGESEN Å, gå pokker i vold!

KAREN Hvad er det du siger? — Ja gå skal jeg!

TYGESEN Du går! Bort fra huset!

KAREN Ja.

TYGESEN Tænker du at skræmme mig? Ja gå! Gå!

KAREN Er det dit alvor, Tygesen?

TYGESEN Om det er mit alvor? Nej, det er det ikke. Men du må bare ikke komme og sætte mig stolen for døren,[1] skjønner du.

KAREN Nu har du fåt rase ut, så nu skal det være godt igjæn. Men denne gang skal det *ikke* være godt igjæn. Det skal få være alvor! Jeg går.

TYGESEN   Hvad i al værden mener hun? Vil hun gå? Karen? Karen? — Nej, men hvad er dette? Å siden den helvedes maleren ...! Jeg kan da vel aldrig tro...? Men hun var så bestemt. Der var noget nyt. — Svært vakker var hun — ! Karen! — Karen!

KAREN (*ovenfra*)   Hvad vil du?

TYGESEN   Hvad gjør du deroppe, Karen?

KAREN   Pakker mine kufferter, Tygesen.

TYGESEN   Hvad mener du med alt dette? Kom og forklar det.

KAREN   Ja, det skal jeg.

TYGESEN   Hvad er dette for noget? Hvor skal du hen? Tror du jeg er et barn, som du kan gjøre rædd?

KAREN   Jeg skal sige dig det som det er. Birgit Rømer ville rejse en tur i landet — og hun spurte om jeg vilde være med.

TYGESEN   Birgit Rømer? Hun som stod her og var så blid — ! For en falskhed! Ja, men du tænker da vel ikke — ?

KAREN   Jeg sa først nej. Men som du har været nu igjæn ... ja, nu gjør jeg det. Jeg har hundre grunner for at gjøre det.

TYGESEN   Du rejser fra mig?

KAREN   For et par uker — ja.

TYGESEN   Det forbyr jeg dig, min pike!

KAREN   Ja, det nytter ikke.

TYGESEN   Så? Du tror ikke her er lov og ret? Du tror ikke jeg tør tale til politiet? Jo, jeg tør! Jeg sætter mig ut over[1] al skandale. Jeg telegraferer hele landet rundt for at stanse dig.

KAREN   Pytt!

TYGESEN   Pytt til politiet?

KAREN   Tror du jeg er så dum at tro politiet kan forby mig at pakke mine kufferter og rejse hvor jeg vil?

TYGESEN   Karen!

KAREN   Ja!

TYGESEN   Du tør ikke gjøre dette! Du vil heller ikke. Ikke sant: du vil ikke? Du prøver bare nu ... om det gjør mig ondt? Du vil høre mig tilstå det? Ja, det gjør mig ondt. Jeg ville bli ulykkelig, hvis du rejser. Jeg visste ikke du kunde finne på sånt, Karen. Du er også i den senere tid kommet langt bort fra mig — utenfor. Utenfor den usynlige ring, det samfund av godt[1] som engang bant os sammen. Det er noget fremmed som har lokket dig! Du taler til mig *utenfra!* Du — du — du *vil* ikke længer, du gjør oprør, du trosser.[1] Du angrer ikke, du anklager, du er i overmod![1] Ja, jeg kan ikke tilgi dig! — Gå! Glæm at jeg har bedt dig bli!

KAREN Han har jaget mig, Malla. Nu rejser jeg.

MALLA Hvad siger du?

KAREN Jeg går op og pakker.

MALLA (*in*).

TYGESEN (*samtidig ut fra kontoret*).

MALLA Hvad har du nu gjort igjæn?

TYGESEN *Din* skyll er det! *Du* har hisset henne![1] Og hvis du ikke straks fører henne her hit[2] tilbake — *så ve dig!*[1]

MALLA Jeg fører henne tilbake til dig? Nej, du kan være trygg — din tyran!

TYGESEN Hvad understår du dig — ?[1]

MALLA Ja, nu vil jeg, dyre død,[1] en gang tale ut, jeg også! Jeg trodde du var en dannet mann. For de som skriver bøker, skulde jo best vite hvad dannelse var. Men dere er råest av alle. Dere er nogen overarbejdede, nervøse stakkarer, som aldrig kan styre dere! Gud fri og bevare enhvær for at bli gift med nogen som skriver bøker!

TYGESEN He! he! he! — Nu skal vi høre! Og dette er dig som jeg har båret over med[1] i det utrolige?

MALLA Du!! Ha, ha, ha!

TYGESEN Vil du ut av mit hus!

MALLA Ja, det ved Gud jeg vil! Men først vil jeg ærgre dig! *Nu* er jeg ikke rædd dig — skjønt du næsten har tat livet av mig.

TYGESEN Jeg synes du har liv nok, jeg? —

MALLA Å, at du kunde komme til at svi for[1] hvad du har gjort mot Karen og mot mig — dit avskum![1]

TYGESEN Jeg avskum! — Vet du hvad jeg er? Jeg er den snilleste ægtemann her i byen.

MALLA Du er den værste av dem allesammen! Du skulde skrive dig *T.T.* — 'Tygesen — Tyran'!

TYGESEN Ha, ha, ha! Nero, Henrik den ottende, Blåskjæg, urmaker Pel, han som brænte sine koner, og siden sine mætresser.[1] Det er *jeg*, det!

MALLA   Vet du hvad du har gjort mig til?

TYGESEN   Til en kulsæk, hvad?

MALLA   Nej, ikke fullt så galt. Men se her!

TYGESEN   Hun bruker pinedød snus!

MALLA   Ja, like for din næse også! For du har voldt det.[1]

TYGESEN   Ha, ha, ha, ha! Har jeg gjort dig til snus? Ha, ha, ha!

MALLA   Næsten til morfindranker[1] har du gjort mig. Men nu rejser jeg. Og Karen tar jeg med. — Så kan du gå der! — Adjø!

TYGESEN   Bare gå, bare gå — det er aldeles alvorlig ment!

MALLA   Jeg tviler ikke et øjeblik! Adjø! Gud fri og bevare ethvært menneske fra dem som skriver bøker!

TYGESEN   Og dem som skriver bøker, for gale kvinnfolk som bruker snus. Pokker skal la dem ha det siste ordet!

ANE   Professor![2]

TYGESEN   Ja, hvad vil du, Ane? Skal du også avsted? — Lykke på rejsen! — Rent hus! Jaså, så dere har overlagt[1] at sætte mig i forlegenhed?[1] Nej, det skal pinedød bli løgn, det!

ANE   Frua bad mig spørge professoren hvad vi skal ha til middag?

TYGESEN   Hvad vi skal ha til — ? Skal *jeg* avgjøre det? — Å — ! — Så nu — ! Ingenting! — — Jeg spiser ute. På restauration.[1] [2] Hvær dag går Turman og skryter av hvad han har spist . . . Også jeg vil engang spise som en uavhængig mann!

ANE   Skal vi ikke ha noget til middag?[2] Det blir lite det — for mig, så.

TYGESEN   Ja, det blir ikke meget. Du har ret i det. Du, se her har du en krone. Så kjøper du dig middag, du også. Vi skal ha fri idag, vi to! — Så du blir, du Ane?

ANE   Hvorfor skulde ikke jeg bli?

TYGESEN   Nej, hvorfor skulde du ikke det? Her har du en krone til! Ane, vi skal nok greje det. Ja, nu vil jeg — ja, hvad vil jeg? Jeg kan gjøre alt jeg vil! Jeg vil gå ut. Det blir så ikke noget arbejde idag allikevel. Men desto mer imorgen! Uten spor av uro;[1] fra morgen til kvæll alene — hele huset mit! Gå ut, du også! Rigtig mor dig, Ane. Vi er fri, vi er fri vi to!

Fra PAUL LANGE OG TORA PARSBERG

TREDJE HANDLING

FØRSTE MØTE

(Døren i bakgrunnen går op; men uten at nogen kommer. Om litt hører vi:)

TORA PARSBERG Nu lægger du mit yttertøj til side, så ingen ser det.

KRISTIAN ØSTLIE Ja, frøken.

TORA PARSBERG *(in i elegant rejsekjole. Hun ser sig om; taler ikke).*

KRISTIAN ØSTLIE Er her varmt, frøken?

TORA PARSBERG Her er for varmt.

KRISTIAN ØSTLIE Hans ekscellence kunde idag ikke få det varmt nok. — Jeg skal sætte op døren til forværelset.

TORA PARSBERG Men Kristian, som du ser ut?

KRISTIAN ØSTLIE Hvad mener frøkenen?

TORA PARSBERG Du er jo likblek! Har her hændt noget?

KRISTIAN ØSTLIE Jeg er nattevåk,[1] frøken.

TORA PARSBERG Hvorfor? Du kom da tidlig hjæm fra mig? Klokken 1, tænker jeg?

KRISTIAN ØSTLIE Så omtrent.

TORA PARSBERG Da var Paul Lange kommet?

KRISTIAN ØSTLIE Hans ekscellence var kommet.

TORA PARSBERG Har heller ikke han sovet?

KRISTIAN ØSTLIE Ikke en blund. Og derfor kunde ikke jeg.

TORA PARSBERG Kristian?

KRISTIAN ØSTLIE Ja, frøken!

TORA PARSBERG Jeg har heller ikke sovet. For da han rejste uten at sige farvel, ante jeg uråd.[1]

KRISTIAN ØSTLIE Han er nu ganske som dengang, før han blev syk. Dengang intrigerne mot ham . . . ja, De vet?

TORA PARSBERG Ja, jeg vet, jeg vet. Jeg tænkte på det i hele nat. — Forfærdeligt! — Hvad foretok han sig?

KRISTIAN ØSTLIE Han gik frem og tilbake her. — Og så skrev han.

TORA PARSBERG Hvordan så du det?

KRISTIAN ØSTLIE Jeg var to ganger inne for at lægge på kaminen.[1]

TORA PARSBERG Sa han noget?

KRISTIAN ØSTLIE 'Er De ænnu ikke i seng, Østlie?' Ikke mere.

TORA PARSBERG Læste han morgenaviserne?

KRISTIAN ØSTLIE Allesammen.

TORA PARSBERG Det var ikke til at hindre?

KRISTIAN ØSTLIE Det var ikke til at hindre.

TORA PARSBERG Du lot ham da ikke gå ut alene, Kristian?

KRISTIAN ØSTLIE Nej — sekretæren kom og hæntet ham. Da hadde hans ekscellence badet og drukket kaffe.

TORA PARSBERG Å, Herregud!

KRISTIAN ØSTLIE Jeg gik til og fra[1] igåraftes. Jeg er jo bare en tjener. Men jeg tænkte ved mig selv: Det er ikke let at dømme et menneske som ham. — Han har ofte været så tungsindig i det siste.

TORA PARSBERG Kristian!

KRISTIAN ØSTLIE Ja, der er han! Frøken! — Ingen annen kan — !

TORA PARSBERG Bare nu jeg kan — !

ANNET MØTE

PAUL LANGE (*kommer in med rejsetøj på. Han har noget bestemt over sig, går like mot skrivebordet, tar et futteral op av lommen og lægger det i skuffen, låser, tar nøkkelen til sig*) Å!

TORA PARSBERG Jo — det er mig! Du er ikke glad for at se mig?

PAUL LANGE Kan du spørge? Det vil sige, jeg er naturligvis forskrækket over at du er ute så tidlig. Og i sådan kulde. Jeg virkelig fryser. Og det skjønt jeg har gåt en rask tur. Vi må få mere i kaminen.

TORA PARSBERG Ja, her er koldt.

PAUL LANGE La os få mere i kaminen. Her er rigtig koldt. Å, la mig få et glas kognak også Østlie, hvis De tillater, frøken?

TORA PARSBERG Bevar's! — Og du, som rejste igåraftes uten at ta farvel?

PAUL LANGE Jeg kunde ikke.

TORA PARSBERG Det er derfor jeg er her.

PAUL LANGE Hvad jeg sætter uændelig pris på. Men jeg var naturligvis kommet til dig.

KRISTIAN ØSTLIE (*in med karaffel og glas*).

PAUL LANGE Mange takk! — Jeg skjænker selv i. Unskyll, frøken!

TORA PARSBERG Gjorde det ikke godt?

PAUL LANGE Jo. Men jeg er ikke vant til det.

TORA PARSBERG Du føler dig da vel? Du ser godt ut.

PAUL LANGE Gjør jeg?

TORA PARSBERG Udmærket. Du er en stærk mann.

PAUL LANGE Det tror jeg også selv. — Bare jeg fik være i fred.

TORA PARSBERG For slike dumme sammensværgelser,[1] mener du?

PAUL LANGE 'Sammensværgelser'? — Det er ordet!

TORA PARSBERG Jeg har ingen magt over den onde gamle mann. Men slikt narrer da ikke dig?

PAUL LANGE Har du læst aviserne for idag?

TORA PARSBERG Javisst.

PAUL LANGE Telegrammerne fra Stockholm?

TORA PARSBERG På bestilling herfra? Altsammen har jeg læst. — Stakkars mennesker! De må holde på om natten også.

PAUL LANGE Jeg gad se[1] telegrammerne som idag går utover værden.

TORA PARSBERG Og glæmmes imorgen. — Men jeg kommer med noget som er vigtigere.

PAUL LANGE Gjør du? Og det er — ?

TORA PARSBERG Kom la os sætte os!

PAUL LANGE Å unskyll at jeg ikke har — !

TORA PARSBERG Altså — du vilde ikke vi skulde deklarere[1] vor forlovelse igår kvæll?

PAUL LANGE Jeg kunde ikke.

TORA PARSBERG Nå. — Vi behøver jo slet ikke at deklarere den. — Vi kan ta det helt anderledes. Jeg kommer for at foreslå dig det. — Men du må høre på mig.

PAUL LANGE Jeg hører!

TORA PARSBERG Du ser ikke engang på mig.

PAUL LANGE Der er likesom andre røster også.

TORA PARSBERG Har du ikke sovet godt inat?

PAUL LANGE Jo takk! Nokså bra. — Hvad var det du vilde sige mig?

TORA PARSBERG At vi skulde gjøre en utenlandsrejse sammen. Og begynne den — ja, som idag. Om to timer?

PAUL LANGE Om to timer? Om to timer? Men vi kan ikke rejse sammen, uten først at være — ?

TORA PARSBERG — gifte? Vi gifter os f. eks. i Kjøbenhavn? Eller et annet sted[2] underveis. Jeg har ingen forberedelser at gjøre. Vel heller ikke du? Mine papirer har jeg hos mig.

PAUL LANGE Jeg forstår jo hvad du byr mig. Jeg er dig dypt taknemlig. Og var ingenting kommet i vejen, så — .

TORA PARSBERG Hvad er kommet i vejen? — Igår hadde du tat imot et sådant forslag.

PAUL LANGE Det er hundre år fra igår til idag.

TORA PARSBERG Er ikke det vel meget? — Jeg foreslår det bare er nogen timer. Og i de timer er vi to blet stærkere i den kunst at stå sammen.

PAUL LANGE Det er en stor kunst! Kanske den største av alle! — Når det kommer til stykket,[1] er det kanske den jeg har forsømt. At stå sammen med andre. Nutildags må en ta parti.[2] Og slå et slag for partiet.[1] Ellers har man ingen venner. Jeg har bare fiender

TORA PARSBERG Jeg tænkte du hadde mig?

PAUL LANGE Å kjære, unskyll! Min tanke kom på avvejer. — Hvad var det du vilde sige mig?

TORA PARSBERG Det nytter visst ikke at nævne det, før du har fåt sagt hvad du tænker på. Det er noget — ?

PAUL LANGE Ja, det er. — Et spørsmål. Får jeg stille dig et spørsmål? Et eneste ett!

TORA PARSBERG Ja, hvis det ikke er for dybsindigt[1] for mig?

PAUL LANGE Jeg skammer mig næsten for at si det. Men dig kan jeg jo sige alt?

TORA PARSBERG Alt.

PAUL LANGE Er *jeg* en pøbel?[1]

TORA PARSBERG Om du — ?

PAUL LANGE Hvorfor behandler de altid mig som en — pøbel?

TORA PARSBERG Og det spør du om?

PAUL LANGE Ingen annen behandler de slik.

TORA PARSBERG Nej, nu gjør du dig selv for megen ære. Det plejer ellers ikke at være din fejl.

PAUL LANGE Ved Gud, jeg trodde ikke der var noget av en pøbel ved mig.

TORA PARSBERG Nej, i så fall var du fri dem![1] For det er ikke sit eget man hader. I almindelighed, da!

PAUL LANGE Altid op igjæn disse historier fra min ungdom. Min fortvilelses tid. Har jeg da intet annet utrettet?

TORA PARSBERG Musik, min ven! Bare musik! De har mange så'nne stykker stående. De sætter dem in i lirekassen, efter som de begjæres.[1] Du vet da det, du?

PAUL LANGE Men de må gå ut ifra at slik ser folk på mig. Dette er mit rygte.[1] Ellers grep de ikke til den slags.

TORA PARSBERG *De later* som de tror det! Det narrer mange.

PAUL LANGE Ser du! Det narrer mange!

TORA PARSBERG Men det må da ikke narre os?

PAUL LANGE Nej. Nej visst.

TORA PARSBERG Tilgi mig, Paul Lange: Er dette virkelig dit spørsmål?

PAUL LANGE Ja, tilgi mig, du!

TORA PARSBERG Min egen ven. — Hvad er det, min ven! Tal ut! Tal ut til mig!

PAUL LANGE Hvis jeg kunde.

TORA PARSBERG Du unselige gjæmmer![1] Jeg trodde du nu var trygg på mig?

PAUL LANGE Du vil ikke kunne forstå det. Ikke engang du. Så mange års hemmelige lidelser! Og svakhed. Og fejghed. Der er ikke det sted på mig som ikke har et sår! Jeg er kommet dit hvor ingen forstillelse længer er nødvændig.[1] Så det er ikke derfor jeg tier . . . — Nej — be mig ikke om det! Det gjør ondt!

TORA PARSBERG Jesus Kristus, hvor du er ulykkelig!

PAUL LANGE Lykkelig er jeg ikke, nej . . .

TORA PARSBERG Min store, staute ven[1] — hvad har — hvem har således kunnet overvinne dig? I dig selv, mener jeg! I dig selv? For i alle andres tanker er du ikke overvunnet! De kjæmper jo som vanvittige mot dig! Så stærk tror de dig!

PAUL LANGE   Du har ret. Det er igrunnen sant.

TORA PARSBERG   Men hvorfor så gi tapt inne i dig selv? —
Og så med én gang.

PAUL LANGE   Ikke med én gang! Først inat blev det til sum.[1]

TORA PARSBERG   Hvorfor ikke før?

PAUL LANGE   Det siger jeg ikke.

TORA PARSBERG   Du siger det! Vi må tale om det! Bare *det*
kan hjælpe dig, Paul Lange!

PAUL LANGE   Jeg kan ikke! Og vil ikke ...! Nej, be mig ikke
om det!

TORA PARSBERG   Så siger jeg det!

PAUL LANGE   Nej, nej!

TORA PARSBERG   — Skal vi så ikke tale videre om det jeg kom
for!

PAUL LANGE   Jo —

TORA PARSBERG   Hvad siger du til at vi rejser herfra? Ænnu
idag?[1] Straks? Vi tar Kristian med. — Bort fra dette her, skjønner
du? In i en luft som er aldeles fri for dette giftstof. Hvad siger
du til det?

PAUL LANGE   At det vilde være en illusion. Vore tanker fødes
av vor fortid. Og følger os.

TORA PARSBERG   Får jeg lov at minne dig om — at også jeg
følger?

PAUL LANGE   Gud velsigne dig! Men nætop det —, nej, få
mig ikke til at tale![2] Det blev også for meget.

TORA PARSBERG   Føler du ikke som du nu ydmyger mig?
Krænker mig?[1]

PAUL LANGE   Jeg? — Dig?

TORA PARSBERG   Så længe det gallt at dele ære og arbejde,
tok du mig med! Men du holder mig ikke i stand til at stå hos dig i
fare. Da nægter du mig ændog fortrolighed.[1]

PAUL LANGE   Nej, nej, ikke slik! For Guds skyll ikke slik. Men
— 'ta dig med', som du siger? Vi er jo ikke gifte.

TORA PARSBERG   Er vi ikke gifte? Jeg vet ikke av annet. Cere-
monien er ingenting for mig. Bare lovkrav.[1] Er de mere for dig?

PAUL LANGE   Nej. — Men jeg kan ikke overse[1] at ænnu står
vi så vi har valg.

TORA PARSBERG Ikke jeg. Jeg har ikke valg! Til en pakt hører to. Men undertiden hører også to til at løse den. Og her er det så.

PAUL LANGE Du vil ikke løse den?!

TORA PARSBERG Ikke så længe der er liv i mig.

PAUL LANGE Ja, da har jeg intet valg.

TORA PARSBERG Vilde du egentlig jeg skulde være anderledes?

PAUL LANGE Nej. — Men hvordan vil du så egentlig ha mig?

TORA PARSBERG Likedan!

PAUL LANGE Ja, hvis vilkårene var de samme, eller jeg i dit sted. Men nu er jeg væltet overænde. I den værste skjændsel[1] som bakvaskelsens kunster[1] kan få i stand. Jeg ligger i sølen, de sparker, de spytter. Og da skulde jeg sige til en kvinne som står højt og frit som du: Bøj dig litt ned over mig, så jeg kan skjules i glansen av dig! Eller jeg skulde be dig om at løfte mig op og flyve væk med mig, over hoderne på dem, til utlandet — der hører og ser vi intet mer til dem? — Da først vilde jeg være ruineret. Ænnu er jeg det ikke . . . Du sa jeg ikke skulle ydmyge dig. Nej, Gud bevare mig for det! Men du må heller ikke ydmyge mig.

TORA PARSBERG Å, du evige — !

PAUL LANGE Ja, jeg visste hvor vanskelig du vilde ha — bare for at forstå mig! Du som fra den tidlige ungdom av har hat råd til at leve uforfærdet oprigtig.[1] Kan *du* tænke dig, hvordan en har hat det som er blet skræmt? Skræmt inne i selve livsvilkåret.[1] Jeg mener i ærens og ævnens.[2] For det blev jeg. — Ser du, da lever man ikke sit eget liv længer. Stykkevis nok, aldrig helt.[1] Aldrig helt. Det begynte først den dag du stod her! — Da rejste sig en mann i mig som avskediget[1] alt som var til pine. Sa det han blev drevet til av sin natur — i sejersmot! For han bar dine farver på brystet. — Og det blev mit fall.[1]

TORA PARSBERG Nej, nej!

PAUL LANGE Det blev mit fall! — Det går ikke an i femten år at dæmme for[1] — og så med én gang slippe på![1] Det går heller ikke an for en stakkar som mig at ville op på det højeste sted. Fallet blir så forfærdeligt.

TORA PARSBERG Du sårer dig selv med dine egne ord. Dypere for hvært! Du sårer dig til døden! Jeg holder det ikke ut!

PAUL LANGE Det er mig en trang! — Nu skal du høre! Den som er blet skræmt så tidlig . . .

TORA PARSBERG Men jeg kan ikke! Og jeg vil ikke.

PAUL LANGE   Den som er blet skræmt så tidlig, har fåt et eget magnetskjælvende[1] instinkt for hvad som er skam. Igåraftes hos dig . . . ja, det kom over mig som tætte skudd fra bakhold[1] . . . jeg stod omringet og forrådt.[1] Og blant dem var Arne Kraft! Ja, Arne Kraft! Det var dog det værste.[2] Da tænkte jeg det straks: Her er grænsen! Længer kommer ikke du! Fra det solfjæll jeg stod på, med én gang at stirre ned i denne avgrunn! — Da kom du in, du bredte armene ut og der var ingen avgrunn længer.

TORA PARSBERG   Denne magt skal jeg ha nårsomhelst. Hvorsomhelst. Du er ikke dig selv nu, ellers tvilte du ikke på det.

PAUL LANGE   Nu må du høre! Nætop det: hvad du kan og ikke kan — det er det jeg vil du skal forstå. — Du kom og tok mig med in i musikken og lysvældet.[1] Da trodde jeg som du at det var fremtiden vi gik til. Jeg trodde mig frelst også denne gang. Ja, i tankerne gjorde jeg nætop den rejse med dig du kommer og byr mig idag. — Ja, jeg drømte det! Lysene og musikken bedrog mig, og du sat ved siden av. Du gav mig det. — Men ikke før hvisket du til mig: 'Skal vi så ikke deklarere vor forlovelse?'[2] . . . ja, da — da blev det mørkt, stillt! En angst drog gjænnem salen, vinket musikken av,[1] blåste lysene ut. Bare ett stod igjæn: Øjnene! Hvorhen jeg så: Øjne, misunnelige, spottesyke, hoverende øjne![1] Alle spillet de[1] i grusom lyst mot os to! De væntet alle på det du foreslog! For så at falle over os begge. — — Du så på mig og trodde. Det var det skjønneste jeg har set. Og skal se. — Men angsten blev større! Jeg tænkte ikke. Jeg kunde ikke tænke. Et 'Nej!' brøt sig frem i mig med samme magt som et menneskes bevægelser i livsfare.

TORA PARSBERG   Du hvisket det bare.

PAUL LANGE   Det voldte samtidig så ulidelig smærte.[1]

TORA PARSBERG   Å, hør nu også på mig! Hør på mig!

PAUL LANGE   Du forstår mig altså ikke ænnu?! At denne angst er stærkere æn mig, stærkere æn dig. Siden igår har den herredømmet. Jeg er ikke længer til at redde.

TORA PARSBERG   Du er syk! Du er syk! Du er forbyttet[1] for mig!

PAUL LANGE   Siden igår, ja! Alt har en grænse. Også hvad et menneske kan miste og dog leve — jeg vil sige: tåle! Tåle! Hvad vi kan miste og dog tåle. Min motstandskraft — om jeg ænnu har nogen! — den blir svakere ved den hjælp du byr! At overhøre det[1] fører in i en ænda større ulykke, mer æn nogen av os kan bære. Å, Gud hjælpe os begge! — Jeg sa dig det! Det blev for meget for dig! Jeg sa dig det! Tilgi mig! At jeg tænkte bare på min egen lidelse og ikke på din! — At se dig lide, er ænda værre! Det hadde jeg igjæn at lære! Se på mig! Hør på mig!

TORA PARSBERG   Men du vil jo ikke høre *mig!*

PAUL LANGE   Tænk dig: Det største livet kan by ... — at stå bare håndsbredden fra det, og så miste det. Smærten, ser du, smærten, den er som en hvirvelvind.[1]

TORA PARSBERG   Det er ikke —, det er ikke det at du ikke —, at du ikke lar mig komme tilorde! — Nej. Det er ikke det som — som krænker mig.[1] — Var det bare det! — Nej, det er ...

PAUL LANGE   Jeg sa dig det! Jeg visste du kunne ikke se in i slik svakhed og en slik lidelse uten at —

TORA PARSBERG   Nej, nej, nej, det er ikke det heller! Ja, jeg tåler hvad det skal være, når det gjæller dig! Men det overvælder mig[1] at du tror sådan om dig selv! Det må jo føre like i døden! Ja, jeg siger det som det er! — Og at jeg så ikke skal få hjælpe dig!

PAUL LANGE   Si mig alt!

TORA PARSBERG   Skal de beste bøje sig, ja, hvordan skal det så gå? — Ser du ikke hvad du gjør? Du står vakt foran et bur med ville dyr i — og så åpner du! Så de kan komme ut og sønderrive[1] først dig og siden os! — Jeg vil ha kamp med dem! Derfor kom jeg hit; — til kamp kom jeg! — Og den må jeg nu begynne her — med dig! —

PAUL LANGE   Skjønner du hvor længe jeg har ståt mot?

TORA PARSBERG   Aldrig længe nok! Partiforfølgelse, forfalskning, fanatisme, skal de vinne? Misunnelse, pøbelhad?[1] Om jeg forstår hvad du har tålt? Ja. Men vet du hvad jeg også forstår. At sårene er ved at forgifte dit blod.

PAUL LANGE   Du glæmmer at selv Arne Kraft var med!

TORA PARSBERG   Du glæmmer at ingen, ikke engang jeg, har højere mening om dig æn han! Det sømmer sig for dig, Paul Lange, at regne i stort.[1]

PAUL LANGE   Men vet du at inat — for jeg sov ikke, jeg var våken i hele nat, jeg gjorde op.[1] Inat følte jeg, at om jeg også[2] har kræfterne — og jeg tror jeg har dem! — det er ikke svake folk som jeg som bærer noget frem.

TORA PARSBERG   Du har da båret så meget frem.

PAUL LANGE   Men tvilene — at sånne tvil kan komme op, beviser ikke det — ?

TORA PARSBERG Hvem kommer sånne tvil til? Til dem som er opgaverne voksne[1] og står i arbejdet. Hvær gang de blir anstrængt av det.

PAUL LANGE Har du ret — ? Kunde du gi mig mit mot igjæn?[2]

TORA PARSBERG Ja.

PAUL LANGE Kan du — kan du ha agtelse for en så svak mann som mig — en så svak mann?

TORA PARSBERG Det var det jeg vilde svare dig på, før du spurte! Det som er svakt i dig og nu gjør dig[2] så ulykkelig. I sin innerste grunn er det det beste du har.

PAUL LANGE Sådan er det.

TORA PARSBERG Du lukker døren til mellem dig og dem. Du er for stolt.

PAUL LANGE Du ser alt . . . Men er der ikke svakhed i det også?

TORA PARSBERG Så nærtagende,[1] så finhudet må de være, de som skal opdage at andre har det ondt, og at her er fare. De som av egen lidelse lærte respekt for ulykken.

PAUL LANGE Du rejser mig.[1][2]

TORA PARSBERG For uhyggen av ondt[1] går du langt av vejen. Men så rædd du er — ingen gik roligere til et rettersted[1] æn du.

PAUL LANGE Det mener du — ?

TORA PARSBERG En mann er ikke den stærkeste fordi han sejrer. De stærkeste er de som står i pakt med[1] fremtiden.

PAUL LANGE Alt dette har jeg før kunnet sige mig selv . . .

TORA PARSBERG Og alt dette har du nu kunnet glæmme! — Men vi husker det, vi kvinner. Her møtes du med os. Undertiden trær en kvinne frem av rækken. Ta mig med, siger hun! Dine idealer er vore evige.[2] Med dig for dem!

PAUL LANGE Dette er berusende!

TORA PARSBERG Livet er ikke liv, før det får inhold. Derfor søker jeg til dig.

PAUL LANGE Livet sætter det vilkår at det vil fortjenes.[1]

TORA PARSBERG Så fortjen det![1]

PAUL LANGE I samliv med dig? I arbejde du og jeg?

TORA PARSBERG Er det for lite?

PAUL LANGE Nej, det højeste!

TORA PARSBERG For dig er jeg livet, det vet jeg. Så ta og forsyn dig, mann! Nu rejser vi like til kongen.

PAUL LANGE Til kongen?

TORA PARSBERG Gesantskapsposten![1] Du må ha den!

PAUL LANGE Det vilde være oprejsning![1] — Men —

TORA PARSBERG Han ønsket jo du skulde ha den?

PAUL LANGE Men det er ikke kongernes fag[1] at handle mot en folkemening.

TORA PARSBERG Folkemening? Dette?!

PAUL LANGE Det tas for det.

TORA PARSBERG Altså utsættelse av denne sak?

PAUL LANGE Ja, blir den utsat, så er der håb.

TORA PARSBERG Utsættelse skal jeg skaffe!

PAUL LANGE Du?

TORA PARSBERG Vi rejser uopholdelig[1] til kongen. Jeg ber ham om audiens og fortæller ham alt.

PAUL LANGE Det lar sig høre![1] Kongen er en god mann.

TORA PARSBERG Og dig meget bevågen.[1] Det har jeg fra ham selv.

PAUL LANGE Det kan forbedre hele situation.

TORA PARSBERG Ikke sant?

PAUL LANGE Men bare du så ikke kommer for sent! De andre er også på færde.[1]

TORA PARSBERG Å, jeg skal nok bli den første. Toget går om halvannen time.

PAUL LANGE Ja men ikke til utlandet?

TORA PARSBERG Til grænsen. Til min ejendom der. Der tar vi in og er alene, du og jeg. Alt er ordnet. Så videre med toget inat. Har du imot det?

PAUL LANGE Om jeg har imot at være alene med dig — ?

TORA PARSBERG Nej, ikke her! Siden. Ring på mit tøj! Jeg lenges så. I mine egne rom, foran mine egne spejl, du og jeg. Jeg må se det. Og mere. Nej, nej, ikke her. Siden. Siden.

PAUL LANGE Ja, siden. (*Østlie inn*). Det var frøken Parsbergs tøj, ja.

TORA PARSBERG Kristian, kan du pakke på et kvarter?

KRISTIAN ØSTLIE Ja, frøken.

TORA PARSBERG Både ekscellencens og dit eget tøj?

KRISTIAN ØSTLIE Ja, frøken!

TORA PARSBERG Vi rejser til utlandet. Innestår du mig for[1] at dere er på stationen om én time?

KRISTIAN ØSTLIE Ja, frøken. Men —

TORA PARSBERG Har *du* noget men, Kristian?

KRISTIAN ØSTLIE Nej, frøken. Men skal jeg også pakke ned uniformen?

TORA PARSBERG Den kan du sende til mig! — Se så! (*Østlie ut*).

PAUL LANGE At du kom — !

TORA PARSBERG Siden, siden!

PAUL LANGE Du har gjort mere æn du —

TORA PARSBERG Siden, siden! På gjænsyn, Paul Lange!

PAUL LANGE På gjænsyn!

TREDJE MØTE

PAUL LANGE (*kommer in igjæn, går et par ganger rundt i rummet uten at tale, strålende. Stanser foran skuffen i skrivebordet*). Som hun sa de ord 'Siden'! 'På gjænsyn, Paul Lange!' Hvad må hun i grunnen tænke? Ikke idag, men næste dag? Når sejersfølelsen er over . . . ? Ved Gud, jeg tåler ikke den minste skygge av ydmygelse mere — ! (*Østlie kommer*). Hvad er det, Østlie?

KRISTIAN ØSTLIE Deres ekscellence. Et telegram, Deres ekscellence.

PAUL LANGE Nej — ! Nej — ! Disse styrtninger[1] — vil jeg ikke ha mere av! Det kan ingen holde ut. Det jeg tænkte inat, var det rigtige. Det hun overtalte mig til at tro, var det det urigtige. Ut fra det handler jeg. Ingen mann kan mer. Og ingen dommer kan overse det.

KRISTIAN ØSTLIE Får jeg lov at sende bud efter frøken Parsberg?

PAUL LANGE Er De her? Er De her? Jeg har ikke bruk for Dem nætop nu.

KRISTIAN ØSTLIE Tilgi, Deres ekscellence!

PAUL LANGE Har De læst det — ? Siden, Østlie. Siden. Gud, dette ord! Jeg skal nu in og skifte.

KRISTIAN ØSTLIE Får jeg hjælpe Deres ekscellence?

PAUL LANGE Jeg skal gjøre det selv.

KRISTIAN ØSTLIE Men De finner Dem ikke tilrette,[1] jeg hadde begynt at . . .

PAUL LANGE Bli De her!

KRISTIAN ØSTLIE Frøkenen er her om et øjeblik.

PAUL LANGE Så meget mere må jeg skynde mig. Så jeg er færdig, når hun kommer.

KRISTIAN ØSTLIE Tilgi Deres ekscellence.

PAUL LANGE Det er befaling. (*In til venstre*).

KRISTIAN ØSTLIE Men jeg har allerede sendt bud efter frøken Parsberg. — Å Gud, hvad skal jeg gjøre. (*Et skudd faller fra venstre*). — Hvor? Hvad skal jeg . . . hvordan.

FJÆRDE MØTE

TORA PARSBERG Østlie.

KRISTIAN ØSTLIE Frøken Parsberg.

TORA PARSBERG Hvor?

KRISTIAN ØSTLIE Der inne.

TORA PARSBERG Nej, jeg vil ikke se! Ikke ænnu! Jeg orker det ikke, Kristian. Jeg må først få tid til at . . . ! Jeg har det vondt. Alle har vi misbrukt ham. Vi vilde alle råde med ham . . . ! Å, hvorfor skal det være så at de gode så ofte blir martyrer? Kommer vi aldrig så langt at de blir førere?

Camilla Collett

Fra AMTMANNENS DØTRE

Hvis det var mulig, burde mennene aldeles ikke velge. De velger mest efter sanselige innskytelser;[2] de setter besiddelse over alt annet.

Kvinnene burde heller ikke velge. De er så lite utviklet[2] at de ikke engang kan velge fornuftig av fornuft. Man vilde forferdes over å se de motiver der ofte beveger dem til å ta imot et tilbud.

De såkalte 'stiftede partier'[1] inneholder derfor ofte en større betryggelse for den gjensidige lykke enn man tror. Man skal ikke forakte dem.

Men der er blott ett, der i sannhet bør velge, og det er den *kvinnelige kjærlighet*.

Av alle de drømte og virkelige egenskaper der inntar[2] en mann for den kvinne hans valg faller på, glemmer han blott en liten ubetydelighet; det er *hennes kjærlighet*.

Merker han allikevel at den lille ting mangler, så tenker han: den kommer nok.

Alle menn tror sig pygmalioner som tidsnok kan belive billed-støtten, når den tid kommer da hun nødvendigvis må stige ned av piedestallen.[1]

Men ekteskapet tender neppe noen kjærlighet; der bør tvert imot bringes et dyktig fond med for å holde det ut.

En mann kan, selv om han ikke er noen øm ektemann, være en *bra* ektemann.[2] Han kan røkte sitt kall[1] like ivrig, like samvittighets-fullt. Hans plikter har en bestemt begrensning.

En hustru derimot må være *øm*, skal hun være *bra*. En hustrus kall har ikke sådanne grenser. Det består i en skare ubestemmelige, forskjelligartede, navnløse enkeltheter, usynlige som duggen der faller, og som kun får sin betydning gjennem det sinnelag hvorav de utgår. I dette, i kjærligheten, ligger dets ubegrensethet. Uten denne skrumper det inn til et åk,[1] en triviell pliktopfyllelse, hvori det øieblikkelig søker sin begrensning.

Det er merkverdig hvorledes man kan føle, idet man trer inn i et hus, om denne belivende[1] gnist er til stede eller ei. Man merker det på atmosfæren inne i stuene. Hvor den råder, vil alt ha et mildt,[2] beåndet skjønnhetens preg; hvor den mangler, er alt dødt, koldt og nøkternt, selv i de rikeste omgivelser.

Fra I DE LANGE NÆTTER

Ak nu véd jeg det, disse Aar vare de lykkeligste[2] for os alle. I denne
Periode af sit Liv tilhørte han os endnu, og tør jeg lægge til: ogsaa
mig tilhørte han. Han holdt af mig dengang, og han lagde[2] det for
Dagen paa sin Vis, jeg kan ikke huske egentlig hvordan. Det faldt
saa af sig selv, det kunde ikke være anderledes, vi maatte være glade i
hinanden dengang. Jeg husker, at jeg stod engang ved Vinduet og saa
ud; han fór fløitende[1] gjennem Stuen og var alt i Døren; da kom han
tilbage, tog mig om Halsen og kyssede mig og ud fløi han igjen,
uden et Ord. Men vore Veie skiltes, maatte skilles, for aldrig mere
hernede at forenes. Min Broder! Det er ikke saa, at jeg troløs forlod
dine Spor; jeg kunde blot ikke følge dig i den vilde Larm! Paa den
stille Vei, jeg maatte gaa, har jeg staaet og skuet ud som hin Dag ved
Vinduet og ventet og ventet med Smerte; men du kom ikke tilbage.
Min Broder! Dit Kys har jeg dog, og det skal gjælde ud over de
lange Adskillelsens Aar, og rent skal det *bevares*, og rent og trofast
skal det *besvares* der,[2] hvor Cirkelen slutter og det adskilte mødes!

Hvor han kunde være elskværdig, hvor han *var* elskværdig! Selv lo
han næsten ikke, han gottede[2] sig,[1] han fløitede[2] ligesom Latteren ud,
men i hans Nærhed sprudlede[2] der evige Fontæner af Latter, Liv og
Lystighed. Man kunde ikke blive rigtig vred paa ham, hvad han
end sagde og tog sig for.[1] Henrik havde Anlæg til alle huslige Dyder,
til alt, hvad der gjør Familielivet let og dog høiere beaandet.[1] Alle
hans Egenskaber havde noget af Barnets. Han var snild, nøisom,
altid glad, taknemmelig for det mindste, en elskværdig Søn, og alt
dette gjorde, at man under et længere Samliv med ham indlulledes[1]
sødelig i den Tro, at det maatte vedvare[2] uforstyrret.

Hans Iver for Menneskehedens Sag var saa brændende, og han fór
saa blindt afsted, at han ikke kunde skjelne sandt fra det usande.
Deraf hans fleste Feilgreb. Enhver virkelig eller falsk Nødlidenhed[2]
var selvskreven til hans Hjælp, og Mor maatte passe paa, at han ikke
gav sine Sengetepper bort. Enhver Klage, der støttede sig til et
Skin af lidt Uret, af en mægtigeres Overgreb, kunde være sikker paa
at finde et villigt Øre og en fluks[1] beredt Vilje til at gaa i Ilden.
Han undersøgte ikke; Ringheden,[1] Afmagten[1] var Klagerens Ret,[1]
en luvslidt[1] Kjole det ubestrideligste Argument.

Fra OPTEGNELSER FRA UNGDOMSAARENE

AUGUST 1832. Mange Aftener, naar Alt er stille, har jeg vidmet[1]
til disse Erindringer — omendskjøndt[1] der neppe er en Time paa

Dagen uden at jeg beskjæftiger mig med ham, gjennemlever i
Tankerne hine deels lykkelige eller bedrøvede Øjeblikke, indtil de
mindste Detailer, saa er det dog som de faae mere Liv, ved at
ordne dem, og give dem Ord. Og alligevel er det mangengang, som
jeg selv undselig over saadanne Tilstaaelser, neppe tør lade[2] Pennen
nedskrive dem, men Tanken at Ingen, Ingen skal vanhellige[2] disse
Blade med sit Øie, aldrig nogen mere skal kjende min Svaghed, ak
som jeg saa ofte ivrer imod, giver mig Mod, og jeg vil betroe Papiret
Alt. —

Jeg blev buden til et lille Selskab[2] hos Herres, der skulde roe om
Formiddagen ud til Ladegaardsøen[1] og tilbringe Dagen der. At
han skulde der vidste jeg. Man ventede paa ham noget; da han
kom stod jeg i Kjøkkenet, han studsede lidet[1] syntes mig;[2] derpaa gik
det nedad; Herrerne slentrede foran. Jeg husker hvad jeg havde paa
den Dag. En klar hvid Dragt med guldvirket Belte, en meget stor
fin Straahat, med paillegule Baand.[1] Da vi Damer kom efter stod han
paa Land; min Forvirring over at vide mig maaskee udsat for hans
Blik var saa stor at jeg neppe kunde stige sikkert i Baaden. Han valgte
dog sin Plads saaledes at han blev Adolphines og min Vis à Vis.[1]
Dette generte mig saa at jeg drog min store Schweizerhat ned i
Øinene og var jammerlig forknyt[1] og taus. Endelig stege vi da i
Land: en sand Vederqvægelse[1] efter at have været udsat for den
brændende Sol og for *hans* ikke mindre brændende. Det gik nu
fremad gjennem den svale Skov til et ikke synderligt indbydende
Sted. Hvad vi bestilte før Bordet er ikke Umagen værdt at fortælle,
der blev spillet Kegler og legt en Leeg, men vi kom ikke i denne i
ringeste Berørelse,[1] ei heller et Ord blev vexlet. Ligesaalidt ved
Bordet, hvor det var indtil Fortærelse[1] stivt og tvungent;[1] ja saa
kjedsommeligt, uagtet de skjønne Retter og sultne Maver, at selv
ikke den stiveste By-Cirkel[1] kunde overgaae den, og her var man
netop flygtet fra Staden ud i den frie Natur for ligesaa frie som den,
at afkaste alle Etiquettens Baand! — det skulde være et Maaltid i
'landlig uskyldig Munterhed'. Efter Bordet gik det bedre. Adolphine
og jeg spaserede nedad Stien; Sankt Sebastian[1] fulgte os i en Afstand,
endelig kom vi tilbage og der skulde leges. Først blev Tampen
gjemmet.[1] Han skulde gjemme den, men de Smaae, og jeg kan
næsten sige de Store, gave ham ikke Roe eller Tid. Han erklærede da
halv misfornøiet at han havde det 'skjønne Indfald' at gjemme den i
Nelder[1] (!), men nu blev corromperet[1] ved en utidig[1] Nysgjerrighed.
Han tog Bernhards polske Lue og kastede sin egen Hat, slængte
den paa sit Haar med samme seiersvisse Mine, eller idetmindste
Tanke som den almægtige Coquette[1] befæster[1] sit nye Diadem. Om

den klædte² ham! Siden legte vi Enke og Enkemand;¹ Touren kom ogsaa til ham at gribe mig; det var saa besynderligt, da vi stode i saadant underligt høist tilbageholdent¹ Forhold; de andre grebe virkelig fat, men han blot ved den letteste Berørelse tog mig fangen. Tilslut dansede vi paa Grønsværet.¹ Endelig gik vi til Huset, vi Damer placerede os i Sophaen foran det lille Glasharmonika¹ hvorpaa jeg forsøgte at spille. Han ligeledes; i denne Anledning gjorde han adskillige Bemærkninger over de forskjellige Slags Instrumenter, der vare alt for sande og træffende til at jeg kunde have Lyst at² modsige dem, blandt andet sagde han at af alle Indstrumenter var Æoelus-harpen¹ ² det der virkede meest paa Følelsen, det herligste af Alle. Dette blev nu naturligviis bestridet af Alle, men han gav ikke tabt, og jeg sympatiserede med ham ogsaa her af mit Inderste, og jeg vovede at henvende mit første Ord til ham, der i hvor almindeligt¹ i sig selv, dog maae have røbet en mere end almindelig Bevægelse fremkaldt ved Overensstemmelse i Meninger og Anskuelser.

'Ja det er sandt, jeg kjender ikke Toner der ere saa *gribende* som Æoelusharpens, især hænder det sig undertiden at 2de¹ beslægtede Toner lyder sammen, der da frembringe den skjønneste Harmonie'. Saa vare omtrent mine Ord, ak hvor ofte er min Tanke: ak naar vil mit Livs forvirrede Toner forstumme? Naar vil det Vindpust komme, der vil i harmonisk Enklang¹ sammensmelte de Beslægtede?

Vi bevægede os nu nedad til Søen;² det blev mørkt. Det begyndte at blaase, aa hvor inderlig ønskede jeg ikke en Storm! Jeg kan ikke rigtig beskrive hvori det Tillokkende laae i denne Tanke, men saa meget veed jeg at den største Dødsfare vilde ikke have skrækket mig,¹ tvertimod vilde den frygteligste Situation have havt ubeskrivelig Interesse for mig. Men intet af saadant; neppe mærkeligt, og under lystelige Sange, vuggede Baaden os fremad. Han begyndte først og deels sang, deels nynnede² blot enkelte Melodier med en saadan uendelig blød Stemme, o denne Stemme naar faar jeg høre den! — — — — det dybe længselfuldt klagende E paa Guitarren — og Vindens Susen gjennem Graner, ligner synes mig¹ denne Stemme.

Han sad paa 3die Bænk fra mig, ved min Side Adolphine og Bernhard. Tusmørket, Baadens Vuggen, Aarernes raske Slag, Alle sammentrængt i en tæt Gruppe løste det sidste Tvangsbaand der havde ved Reisens Begyndelse holdt Selskabets Munterhed fangen.¹ Enhver, idetmindste de talende Personer, lod til at føle sig særdeles behagelig stemt — og jeg var ikke lystig, men saa ubeskrivelig vel tilmode: mit Indre var saa aldeles Roe og Harmonie, ja! jeg veed ikke hvad jeg kunde været i Stand til at gjøre! Jeg følte aldeles intet til den tunge Nedslagenhed[1] som ellers blander sig med min Glæde i hans Nærværelse.[1]

Det hjalp, at Mørket skjulede mig for hans Trylleblik. Man anmodede mig nu om at synge og jeg begyndte med 'Frithiof og Ingeborg'[1] som han accompagnerede.[2] Siden efter havde jeg det uhørte Mod at synge allene adskilligt. Han roste Sangen[1] af 'Frithiof og Biørn'. Jeg begyndte paa den allene og fuldførte den med et Udtryk, som ikke var *kunstigt* men naturligt frembragt af min exalterede[1] Stemning. 'Du hast nie[1] so hübsch gesungen', sagde fru Colban. Vi talte endnu Tydsk som i Institutet i Christiansfeldt.[1] Vi nærmede os nu Byen — og han var, jeg veed ikke hvorledes, kommen paa den nærmeste Bænk ligeoverfor Adolphine og talte blot med os to i en Smule nedstemt[1] Tone. Han var i ligesaa godt Humeur, som jeg idetmindste, der ret svælgede i en velbehagelig Tilstand og en underlig Bevægelse gjennemfoer mig da han virkelig yttrede et Ønske som jeg endnu ikke var mig bevidst: 'Jeg skulde gjerne sidde her den hele Nat'. Vi landede nu; han steeg op paa det midterste Brædt[1] og ragte sin Haand frem med den Yttring at Damerne her trængte til Hjælp. Jeg veed ikke om Nogen betjente sig af Leiligheden, men det ved jeg, at jeg *ikke* gav ham min Haand; jeg er stolt af denne Selvbeherskelse, denne lille Seier over en Svaghed som jeg er pharisæisk nok til at troe at 99 af 100 vilde have givet efter for, og give Gud at jeg aldrig vil nægte den qvindelige Stolthed den skyldige Tribut,[1] hvad det end skal koste; ak, kjender jeg dog ikke en mere henrykkende Følelse end naar han holder min Haand i sin!